DESCOBRINDO A ALEGRIA DE VIVER

Salle Merrill Redfield

DESCOBRINDO A ALEGRIA DE VIVER

Um Guia de Meditação

3ª Edição

Prefácio de

James Redfield

autor de *A Profecia Celestina*

SEXTANTE

tradução
Neuza M. Simões Capelo

preparo de originais
Regina da Veiga Pereira

revisão
José Tedin Pinto e Sérgio Bellinello Soares

capa
Silvana Mattievich

locução do CD
Juraciara Diacovo

produção do CD
Carlos Irineu da Costa

fotolitos
Mergulhar Serviços Editoriais Ltda.

impressão
Hamburg Donnelley Gráfica Editora Ltda.

CIP-BRASIL. CATALOGAÇÃO-NA-FONTE
SINDICATO NACIONAL DOS EDITORES DE LIVROS, RJ.

R249d Redfield, Salle Merrill
Descobrindo a alegria de viver : um guia de meditação / Salle Merrill Redfield ; prefácio de James Redfield ; [tradução de Neuza M. Simões Capelo. – Rio de Janeiro : Sextante, 2000
: + CD

Tradução de: Creating a life with joy
Inclui bibliografia
ISBN 85-86796-55-7

1. Meditação. 2. Felicidade. 3. Conduta I. Título.

00-0664. CDD 158.12
CDU 159.98

Av. Nilo Peçanha, 155 Gr. 301 - Centro
20020-100 - Rio de Janeiro - RJ
Tel.: (21) 524-6760 - Fax: (21) 524-6755
Central de Atendimento: 0800 22 6306
E-mail: salvend@openlink.com.br

Agradecimentos

Gostaria de mencionar e agradecer aos seguintes autores e editoras que permitiram a utilização de trechos dos seguintes trabalhos:

Information on the Six Human Needs, Anthony Robbins © Anthony Robbins Companies. Reprodução autorizada.

Cancer as a Turning Point, Lawrence LeShawn. Copyright © 1989 by Lawrence LeShawn, Ph.D. Sob licença de Dutton, uma divisão da Penguin Putnam, Inc.

A Profecia Celestina, de James Redfield. Copyright © 1993 by James Redfield. Sob licença de Warner Books.

Relato sobre a intuição do médico colhido em *Manual de Intuição Prática.* Copyright © 1997 by Laura Day. Reprodução autorizada por Villard Books, uma divisão de Random House, Inc.

Trecho de *The Secret Language of Signals*, de Denise Linn. Copyright © 1995 by Denise Linn. Editado por Ballantine Books, uma divisão de Random House, Inc. Reprodução autorizada.

História de Greg O'Leary, colhida em *Pequenos Milagres*, de Yitta Halberstam & Judith Leventhal. Reprodução autorizada. Copyright © 1997 by Yitta Halberstam Mandelbaum and Judith Frankel Leventhal. Publicação de Adams Media Corporation.

"When Someone Deeply Listen to You", de John Fox,

em *Finding What You Didn't Lose: Expressing Your Truth and Creativity Through Poem-Making* © 1995, publicação de Jeremy P. Tarcher, Inc. Reprodução autorizada pelo autor.

You'll See It When You Believe It, do Dr. Wayne Dyer. Copyright © 1989 by Wayne W. Dyer. Reprodução autorizada mediante permissão de William Morrow & Company, Inc.

Gostaria também de agradecer a estas pessoas por me permitirem contar suas histórias: Jimmi Buell, Gloria Decker, Jerry Nelson e Savann Sherril.

AGRADECIMENTOS

Agradeço do fundo do coração às seguintes pessoas: John Winthrop Austin, que nunca disse não quando eu pedia mais uma pesquisa. Minha mãe, Lulu Richardson, por suas críticas aos originais. A querida amiga Savann Sherrill, cujas idéias se integram às minhas em todo o livro. Larry Kirshbaum e Joann Davis, que facilitaram o meu trabalho. E, acima de tudo, minha editora, Claire Zion, por sua apurada visão editorial.

Dedicatória

Ao meu marido,
James Fulton Redfield,
amigo leal e verdadeiro namorado.

Sumário

Prefácio de James Redfield 10

CAPÍTULO UM
Preparação para a Alegria 12

CAPÍTULO DOIS
A Importância dos Objetivos 28

CAPÍTULO TRÊS
Criando Prioridades no Tempo e no Espaço 42

CAPÍTULO QUATRO
Comunicação Eficiente 57

CAPÍTULO CINCO
Encontrando a Paz Interior 77

CAPÍTULO SEIS
O Milagre da Sincronicidade 97

CAPÍTULO SETE
Descobrindo a Sua Missão Espiritual 114

CAPÍTULO OITO
Fazendo da Alegria um Estilo de Vida 130

Prefácio

Estamos entrando em um novo milênio e uma nova percepção do sentido da vida parece tomar conta de nós. Se antes nossas vidas se resumiam a enfrentar uma série de desafios – escolher uma profissão, encontrar trabalho, casar e criar bem os filhos, cuidando para que tivessem uma boa educação, aposentar-se e esperar pela morte –, passamos agora a enxergar uma existência praticamente ilimitada em suas possibilidades de criatividade e realização. Esse novo conceito de "uma vida bem vivida" vem se desenvolvendo há décadas, através de nossas tradições religiosas e do crescente interesse pela espiritualidade e pela oração.

Hoje em dia sabemos que a idéia de crescimento psicológico – deixar para trás tudo que nos aprisiona e bloqueia, alcançando um estado de espírito que desperta o que temos de melhor – é real e um passo necessário para todos que pretendem viver plenamente.

Não é por acaso que pessoas notáveis possuem determinadas características em comum. No estágio atual da História, o processo que cada um de nós deve percorrer para chegar a identificar e desenvolver essas características é claro. Não há como deixar de reconhecer e acreditar que existe uma vida de maior alegria e que essa vida pode ser consciente e deliberadamente criada.

A chave do processo é a força da nossa intenção, o pensamento direcionado para as grandes coisas que hão de vir. Nas páginas deste livro, Salle explica como usar a mente para, primeiro, entender os hábitos que nos reprimem e, depois, avançar passo a passo, até descobrir e realizar o sonho pessoal que é a nossa herança espiritual.

Quando a força da intenção se soma à prática da meditação, alguma coisa mágica começa a acontecer. Conseguimos ouvir a nossa voz interior, a intuição que nos guia através das dificuldades e aponta o caminho para realização de nossos objetivos.

O fato é que ninguém tem que seguir na vida sozinho, pesando cada decisão e elaborando individualmente cada plano de ação. Se afastarmos todos os ruídos que perturbam nossa percepção, vamos descobrir dentro de nós um saber superior que nos ajuda a traçar o melhor caminho. O que temos de fazer é parar, ouvir e abraçar esse conhecimento que nos pertence.

O segredo da alegria da "vida bem vivida" está emergindo. No novo milênio, vai estar ao alcance de todos.

James Redfield

A alegria é o fogo sagrado que alimenta o nosso propósito e mantém viva a inteligência.

Helen Keller

CAPÍTULO UM

Preparação para a Alegria

Todos somos capazes de viver uma vida de intensa alegria. Dentro de cada um de nós existe um admirável espírito humano suficientemente forte para superar a dor e a desilusão. E ainda que às vezes duvidemos disso, em qualquer situação, sempre é possível captar essa força, essa sabedoria interior, e agir para criar mais alegria.

Às vezes, as lembranças dolorosas e os traumas do passado nos impedem de sentir alegria. Deixamos que um fato ocorrido há dez ou vinte anos tenha mais influência sobre a nossa vida do que a situação atual. Um acontecimento perturbador da infância nos paralisa causando dúvidas e medo. Consciente ou inconscientemente, passamos a acreditar que não somos capazes de ter uma vida feliz ou não a merecemos. Mas tudo isso pode ser superado, abrindo-nos para uma alegria inteiramente nova.

É natural que quem passa por um processo de divórcio ou de rompimento sinta num primeiro momento "Minha vida acabou. Fiquei só". Nesse momento a pessoa está dando mais importância à perda do que à possibilidade de reconstrução da vida. Mas o tempo cura as feridas e o fim de um relacionamento é capaz de abrir espaço para oportunidades de novos encontros e de crescimento. O cantor popular Garth Brooks diz isso muito bem em sua canção *Unanswered Prayers* – preces não atendidas. Na canção, Brooks conta como, ao reencontrar-se com uma namorada da adolescência, se deu conta de como foi bom que a relação tivesse terminado. Na época, foi grande a dor da perda, mas só assim ele pôde, mais tarde, conhecer a mulher que amou de verdade e com quem se casou. O amor dessa união o fez reconhecer que o antigo sofrimento foi, na verdade, uma bênção. A canção nos lembra que, às vezes, uma prece não atendida é um sinal de que há alguma coisa muito melhor à nossa espera. É claro que isso não diminui o sofrimento causado pelo fim de um relacionamento. Dói mesmo e demora para cicatrizar. Mas não pode nos impedir de seguir em frente e amar outra vez.

Crises financeiras e problemas físicos também podem nos roubar a disposição de criar uma vida de alegria. São situações que paralisam. Quando acontecem, é importante acreditar que nenhum problema é insolúvel e eterno, que aquele momento vai passar e que inúmeras outras pessoas viveram algo semelhante e sobreviveram. Não importa o que aconteça: em algum lugar, alguém já enfrentou uma situação parecida e encontrou um modo de trazer a alegria de volta.

A verdade é que ninguém está completamente só, enfrentando problemas sem solução. Existe sempre uma luz no fim do túnel. A maior parte das pessoas bem-sucedidas já passou por desapontamentos, reveses, se não por completo fracasso. E todo mundo já perdeu alguma coisa. Isso faz parte da existência humana. Mas a capacidade de vencer desafios e usar o que nos acontece para o crescimento pessoal também faz parte da condição humana. É inevitável que durante algum tempo fiquemos inseguros, até mesmo desesperados, mas acabamos encontrando força e sabedoria para tirar o maior proveito possível da experiência.

Conheço um homem chamado Jerry que soube transformar em crescimento as experiências por que passou. Se você o visse, acharia que sua vida é maravilhosa. É forte, saudável, está sempre em atividade, procurando realizar seus sonhos. Diariamente se dedica a tornar seus sonhos realidade. Mas Jerry enfrentou vários desafios: foi feito prisioneiro durante a Guerra da Coréia, precisou reaprender a andar por causa de um ferimento, por duas vezes perdeu sua casa – uma por causa de um terremoto, outra por um incêndio –, além de fracassar em um empreendimento de sucesso por negligência do sócio. Ele conseguiu superar as várias tragédias que pontuaram seus sessenta e tantos anos de existência e talvez por isso mesmo acredite firmemente no milagre da vida. Concentra sua energia em atingir seus objetivos e fazer outras pessoas felizes. Sempre que nos encontramos, eu pergunto: "E aí, Jerry, tudo bem?" A resposta é sempre a mesma: "Melhor é impossível!"

Conheço também uma mulher chamada Gloria que tem um profundo amor pela vida. Ela e Bob, seu marido, perderam um filho adulto com AIDS depois de dois anos de tratamento e cuidados em sua própria casa. E essa não foi a primeira vez que Gloria enfrentou uma tragédia. Houve um tempo em que ela vivia pelas ruas e perdeu a guarda dos filhos por causa do alcoolismo. Mas conseguiu superar o vício e hoje se dedica a ajudar outras pessoas que têm o mesmo problema. É uma bela mulher, com um sorriso contagiante e um maravilhoso senso de humor. Nunca lamenta o passado. Está sempre voltada para suas sólidas crenças espirituais e para ajudar quem precisa.

Nem Jerry nem Gloria tiveram uma vida ideal. Ainda assim, vivem com determinação e otimismo. São uma prova de que para alcançar alegria e felicidade é preciso aprender a crescer com as experiências dolorosas e viver no momento presente.

Nossas Necessidades

Na vida, chega um dia em que descobrimos que somos responsáveis por nossa própria alegria. O estado de felicidade duradoura não vem de outra pessoa nem de bens materiais. Podemos estar satisfeitos em nosso círculo de relações e com nosso parceiro. Podemos encontrar um prazer fugaz na compra de um carro novo, uma casa, um computador. Mas, depois de algum tempo, essas coisas se incorporam e passam a ser sentidas como naturais. Aquilo que adquirimos já não nos dá o mesmo prazer, o que nos leva a comprar mais, na ânsia de preencher o desejo de felicidade. E os relacionamentos podem ser instáveis ou, mesmo quando são sólidos, passam por crises.

A alegria que procuramos vem do entendimento das necessidades humanas básicas e da descoberta dos meios para atender a essas necessidades. Abraham Maslow, criador da moderna psicologia humanista, formulou a teoria de que todos temos desejos básicos que precisam ser atendidos, para que possamos crescer. Maslow organizou uma hierarquia básica de necessidades que muitos teóricos aceitaram e desenvolveram. É uma escala que abrange desde as necessidades fundamentais, de abrigo e alimento, até as mais elevadas, de objetivo e auto-realização.

O estudioso contemporâneo Anthony Robbins, autor de *Desperte o Gigante Interior,* elaborou uma classificação das principais necessidades que considero bastante útil. Ele relaciona seis necessidades que influem em vários níveis do desenvolvimento pessoal e que todo ser humano busca, consciente ou inconscientemente, na sua luta pela sobrevivência, satisfazer. São elas: certeza, incerteza/variedade, significado, conexão, crescimento e contribuição.

Para atender à nossa necessidade de certeza, buscamos, além do atendimento às necessidades fisiológicas básicas, um ambiente estável de paz, amor e alegria. A diversidade, a surpresa e os pequenos desafios respondem à nossa necessidade de incerteza. Quando alguém nos elogia, valoriza e reconhece o nosso trabalho, a necessidade de significado é preenchida. A necessidade de conexão é satisfeita pelo amor que damos e recebemos, pela sensação de pertencer a um grupo. Aí se inclui a conexão com Deus ou com a divina fonte que dá origem ao universo. A educação tradicional, a pesquisa individual, o estudo e, principalmente, as experiências de vida atendem à nossa necessidade de crescimento. E a necessidade de dar ao mundo uma contribuição e de deixar um legado se exerce através do trabalho feito com o propósito de dedicar o tempo disponível a serviços voluntários, fazer doações em dinheiro e criar nossos filhos.

Certas atividades atendem a várias necessidades ao mesmo tempo. O homem que faz uma viagem de férias com a família sente-se realizado ao pagar as despesas, aproveita a conexão com aqueles que ama, experimenta variedade ou incerteza por estar visitando um lugar desconhecido e cresce ao aprender sobre a cultura local.

As necessidades são simples. O desafio começa quando tentamos encontrar nosso próprio estilo e maneiras positivas de satisfazer essas necessidades. A necessidade de ter significado tanto pode ser alcançada por quem dirige uma grande empresa quanto por quem faz parte de uma quadrilha e carrega uma arma. Para alguns, o álcool e as drogas atendem temporariamente à necessidade de conexão com os outros. Podem experimentar até mesmo a certeza, porque, drogados, se sentem melhor, pelo menos por alguns instantes. E ainda o significado, pois a bebida e a droga dão uma ilusória sensação de euforia e auto-estima. Este é um dos desafios desses vícios: eles parecem preencher boa parte das necessidades humanas. Com freqüência somos seduzidos antes de perceber que a satisfação das necessidades proporcionada pelo álcool e pelas drogas não passa de ilusão.

O mesmo se aplica à comida. Podemos ter a sensação, quando estamos estressados, de que uma comidinha diferente conforta, alivia e nos faz sentir melhor. E a variedade é imensa. Basta observar quantos sabores de sorvete existem no mercado. A conexão é atendida pela companhia dos amigos que saem conosco para jantar. E a sensação de significado pode vir quando freqüentamos os restaurantes da moda e bebemos os vinhos mais finos. Ou da fama de fazer a mais deliciosa torta de chocolate das redondezas. Comer pode ser um dos maiores prazeres da vida. Mas também pode levar à obesidade, às doenças e a vários problemas alimentares. Sobretudo, pode nos enganar se acharmos que estamos respondendo com ela às nossas necessidades essenciais.

Por isso é tão importante refletir para aprender a satisfazer as necessidades de forma consciente. Se estivermos usando comportamentos destrutivos, cuidado. É preciso primeiro identificar quais são as necessidades que estamos procurando atender e depois procurar substituir os comportamentos que adotamos para isso. As mesmas necessidades que estão procurando beneficiar-se através do consumismo, do excesso de comida, do álcool ou do sexo podem ser satisfeitas de maneiras muito mais saudáveis e produtivas.

Desenvolva cada vez mais sua percepção para reconhecer os meios que está empregando para atender às suas necessidades. Repare nas coisas que você gosta mais de fazer ou faz compulsivamente. A que necessidades está atendendo? E se há atividades que são inevitáveis mas que não lhe agradam, observe atentamente as suas reações e descubra quais são as necessidades que não estão sendo preenchidas.

Crenças sobre a Vida

Uma vez, em um retiro para mulheres, conheci uma elegante senhora chamada Ellen. Ela irradiava otimismo. Aos setenta anos, encantadora e simpática, era um prazer estar a seu lado. No último dia do retiro, saímos as duas para uma caminhada pela manhã. Durante o passeio, perguntei sobre seu otimismo: "Ellen, você sempre foi alegre assim?" Ela respondeu imediatamente: "Ah, não, eu era uma pessoa muito deprimida."

Um pouco surpresa, pedi que me contasse mais. Ela disse que tinha sido editora de uma revista em Nova York e estava sempre correndo de um lado para outro, procurando sempre atender as expectativas dos outros, sem uma idéia ou atitude original. Um dia, ao chegar em casa depois do trabalho, descobriu que o homem com quem estava casada havia trinta e sete anos tinha ido embora. Ela ficou arrasada.

Os filhos, preocupados com ela, insistiram para que fosse visitar uma amiga que morava no Havaí. Lá, ela teve tempo e tranqüilidade suficientes para pensar em si mesma, e chegou a várias conclusões que transformaram sua vida. Perguntei qual tinha sido a conclusão mais importante, e ela respondeu: "Aprendi que não tenho outro jeito senão aceitar o que a vida me traz e que as únicas coisas que posso realmente controlar são as minhas ações e a minha capacidade de interpretar os fatos. Quando um sofrimento me atinge, posso escolher entre tirar proveito dele ou deixar que me destrua."

Sua primeira viagem ao Havaí teve um tal efeito curativo, que ela acabou ficando lá por um mês. Nesse período, por coincidência, ouviu falar de um curso para ajudar as pessoas a entenderem suas crenças a respeito da vida. No curso pôde perceber quantas de suas crenças eram falsas ou herdadas de seus pais já falecidos e do ex-marido, sem que ela tivesse parado para fazer suas próprias escolhas. Percebeu também que suas exigências em relação a si mesma e aos outros eram, às vezes, rígidas demais. Estava tentando viver de acordo com o que diziam ser melhor para ela, o que a deixava muito deprimida e irritada. Ao reformular suas crenças sobre si mesma e sobre os outros, passou a sorrir mais e a aproveitar a vida.

Já estávamos terminando o passeio, quando ela me disse: "Salle, o verdadeiro segredo da minha alegria é facilitar a vida. Passo mais tempo agradecendo pelo que tenho do que me concentrando no que não vai bem. E não acredito mais que as pessoas tenham que fazer as coisas do jeito que eu quero, nem que eu tenho que ser perfeita."

Ellen usou seu divórcio como um "toque cósmico" que

a fez examinar suas crenças a respeito da vida. Seria bom que não esperássemos por uma crise para analisar nossas crenças e mudá-las. Sempre que sentirmos alguma inquietação ou o simples desejo de mudar a vida para melhor, é o momento de avaliar as nossas crenças.

Desde muito cedo somos ensinados a viver de acordo com os padrões alheios. Os pais e parentes, a escola, os meios de comunicação e a sociedade influenciam e mesmo determinam nossa visão do mundo. Somos adestrados e aprendemos o comportamento adequado para agradar os outros. E nos adaptamos, passando a agir em busca de aceitação.

Se nos agarrarmos a uma crença do tipo "só me sinto feliz quando a vida corre de acordo com meus planos e quando as pessoas me dão o tratamento que eu quero", vamos inevitavelmente enveredar pelo caminho do desapontamento. Ou se acreditarmos que só podemos ser felizes se tivermos um corpo perfeito, um salário milionário ou uma casa no bairro mais elegante, vamos começar o dia – todos os dias – frustrados.

Há muitos fatores na vida que não conseguimos controlar. O mundo está em constante transformação. A rotina doméstica se desorganiza quando há crianças e os horários são muito apertados. As condições do tempo nem sempre colaboram com os nossos planos. E os relacionamentos oscilam entre as atividades em conjunto e a necessidade de preservar o espaço de cada um. É uma perda de tempo e de energia tentar encaixar a nós e aos outros nos padrões de perfeição que encontramos nos livros, em programas de televisão ou nas nossas próprias fantasias.

Quer um exemplo? Certa vez, ouvi um homem dizer que se sentia um fracassado apesar de ter uma renda anual de um milhão de dólares e de seguir a carreira com que sempre sonhou. Ele se sentia extremamente infeliz, apesar de ter uma esposa apaixonada e o primeiro filho a caminho. Gozava de perfeita saúde e morava em uma bela casa com vista para o mar. Sua infelicidade vinha da crença de que poderia ter conseguido mais. Em sua mente havia a certeza de não ter cumprido o que seus pais – e, conseqüentemente, ele mesmo – esperavam dele. Estava convencido também de que, para vencer na vida, precisava assumir uma atitude séria o tempo todo. Uma boa risada, nem pensar. E nem nos fins de semana não se permitia fazer seu esporte favorito – o surfe – porque achava que comprometeria sua imagem de homem de negócios bem-sucedido.

Felizmente, ele parou para pensar em suas crenças a respeito da vida e concluiu que estava sendo severo demais consigo mesmo. Sua mulher aprovava seu gosto pelo surfe e seus pais se sentiam extremamente orgulhosos dele. Sobretudo, começou a perceber, pela primeira vez na vida, que o exercício de seu próprio desejo não o faria menos amado. A partir daí adotou uma nova postura que o deixou mais relaxado e grato por todos os dons recebidos.

O comportamento desse homem pode parecer estranho

para quem nunca vai chegar a ter um milhão de dólares, mas em certo sentido todos nós agimos assim. Muitas vezes, ao nos compararmos com os outros ou ao imaginarmos o que esperam de nós, nos sentimos em desvantagem, apesar de todas as realizações alcançadas no correr da vida.

Podemos achar que não temos nada de importante para oferecer ao mundo só porque um dia, lá na infância, alguém nos tratou com descaso. Ou podemos acreditar que, para sermos bons pais, empresários ou líderes comunitários, temos que seguir um padrão hipotético de comportamento. Crenças assim exercem uma pressão tremenda e nos negam uma vida plena de alegria e paz interior.

Se você perceber que está se reprimindo por causa de crenças inconscientes ou antigas, herdadas de alguém, pare e pense. Procure descobrir de onde vêm. Quem sabe se, quando criança, você ouviu algum comentário sobre o modo como homens e mulheres deviam se comportar? Uma criança não é capaz de questionar a opinião de um adulto e você pode ter aceito o comentário como verdadeiro. Mas agora, que já cresceu, tem como formar as suas próprias opiniões.

Para descobrir quais são suas crenças, faça perguntas como: "O que o dinheiro significa para mim?" ou "O que me deixa alegre?". Adapte essas perguntas a todas as áreas da sua vida. E se encontrar alguma crença que já não lhe sirva, jogue fora e substitua por outra.

Pense em alguém que viva como você gostaria de viver

e, se possível, analise suas crenças. Ou se imagine extremamente alegre e feliz e pergunte-se quais seriam as crenças que o levariam a ter uma vida mais plena. Isso vai lhe fazer descobrir quais são as crenças de que precisa. Procure também rir e divertir-se. Isso afastará a velha crença de que a vida é só trabalho e tem que ser séria.

Aprenda a brincar. Relaxe e se solte. Experimente coisas novas. Entre em sintonia com a beleza do mundo. Tente fazer de cada dia um dia especial, dando qualidade às coisas mais simples. Acima de tudo, valorize as suas conquistas. Isso tudo irá transformando suas crenças e trazendo muito mais alegria para sua vida.

Meditação

A meditação que vem a seguir se destina a trazer mais alegria para sua vida. Ela está no CD que acompanha este livro, mas eu sugiro que leia cada linha ou parágrafo como uma idéia completa antes de passar para a seguinte. Acolha os pensamentos que vierem e espere o tempo que for preciso entre uma pergunta e outra. Se quiser, depois de ler cada linha ou parágrafo, feche os olhos e visualize o que leu. Depois de ter absorvido bem este texto, ouça várias vezes o CD.

Para meditar, procure um lugar calmo e confortável, onde não haja interrupções por pelo menos quinze minutos.

É bom ter à mão papel e caneta para o caso de você querer anotar as idéias que surgirem depois da meditação.

Vamos começar. Comece procurando a posição em que se sentir mais confortável...

Solte os ombros e vá relaxando as mãos e os pés...

Agora inspire profundamente e conte até cinco antes de soltar o ar...

Deixe os pensamentos que estão na sua cabeça serem levados embora...

Você sabe que daqui a quinze minutos vai estar de volta à rotina do seu dia...

Mas agora não tenha pressa, vá relaxando e se soltando... completamente...

Agora procure se lembrar de um dos dias mais alegres da sua vida...

Onde é que você estava? O que fazia?...

Procure recordar ao máximo os detalhes...

Qual era a época do ano?...

Quem estava com você?...

O que lhe deu tanta alegria?...

O que mais aconteceu de bom nesse dia?...

Você consegue se lembrar do que pensava? Será que você pensava "Que divertido", "Como estou adorando este momento" ou "Como gosto de estar com essas pessoas"?...

Aconteceu alguma coisa durante esse dia que atendesse à sua necessidade de conexão, de significado ou de contribuição?...

E à sua necessidade de variedade e crescimento pessoal?...

Quais foram as necessidades mais atendidas?...

Pense de novo nos melhores momentos desse dia...

Reforce os sentimentos positivos que essa lembrança lhe traz...

Você gostaria de viver outros dias alegres como esse?...

O que precisa acontecer em sua vida para isso?...

Quais são as necessidades que precisam ser atendidas para que você tenha mais alegria?...

Vamos analisar as suas crenças sobre alguma área da sua vida que não lhe dá alegria. Procure fazer perguntas que ajudem a identificar suas crenças. Pergunte-se: "O que é que eu considero mais importante em um relacionamento?" ou "O que é preciso acontecer para que eu me sinta alegre e feliz?". Adapte as perguntas para a área de sua vida que você quer melhorar...

Para ser mais alegre e feliz, você precisa aceitar ou se livrar de alguma coisa?...

Você precisa se perdoar?...

Você precisa perdoar alguém?...

O que você gostaria de fazer para se libertar ou perdoar?...

Agora, sinta amor e paz invadindo você, dissipando as preocupações que bloqueiam a alegria que você deseja ter...

Viva por alguns momentos a sensação de ver as suas preocupações se afastando...

Inspire profundamente e, ao soltar o ar, libere o que não lhe serve mais...

Pense em como a sua vida, daqui por diante, vai ser cheia de momentos alegres e comece a sorrir...

Escolha uma atividade que lhe dê alegria para fazer nos próximos dias... uma atividade que faça você acreditar que é possível ter mais alegria na vida. Talvez assistir a um filme divertido, ler um bom livro, encontrar-se com amigos queridos ou brincar com as crianças...

Pense também em fazer alguma coisa que torne mais alegre o dia de outra pessoa...

Pense em como a sua vida seria mais alegre se você reservasse a cada semana um tempo só para se divertir...

Pense em como isso faria a sua vida melhor...

Quando achar que é hora, volte para o presente, com uma sensação de leveza e felicidade...

Tome consciência do ambiente em volta...

Comece a se mexer lentamente para acordar o seu corpo...

Nos próximos dias, preste atenção às novas idéias que possam contribuir para trazer mais alegria à sua vida. Lembre-se sempre da alegria que pode sentir se reservar algum tempo para rir, se divertir e apreciar toda a beleza que nos cerca.

CAPÍTULO DOIS

A Importância dos Objetivos

Um passo importante para a construção de uma vida de alegria é haver algo que desejamos encontrar ou atingir. A expectativa desse encontro nos faz acordar cheios de disposição. Como sabemos que uma coisa boa está para acontecer, sorrimos mais. Quando estabelecemos objetivos e trabalhamos para alcançá-los, nosso interesse pela vida aumenta, porque nos sentimos a caminho de um futuro mais luminoso.

Todos os grandes líderes da História tinham um objetivo. Muitos deles sonhavam realizar alguma coisa que a maioria das pessoas considerava impossível. Eram movidos pela crença em seu sonho, mesmo quando os outros duvidavam.

Na História recente existem dois exemplos de fidelidade a um ideal: Nelson Mandela, presidente da África do Sul, e Viktor Frankl. Por seu sonho de igualdade, Mandela suportou vinte e sete anos de prisão. E Frankl, autor de *Em Busca do Sentido,* sobreviveu aos horrores de Auschwitz e outros campos de concentração nazistas mantendo sua imaginação voltada para a vida que teria depois que estivesse livre. Ele se visualizava constantemente à frente de um auditório falando sobre a suprema importância de encontrar um significado nas situações dolorosas. Seu sonho não apenas lhe salvou a vida como contribuiu para que criasse a logoterapia, uma forma de terapia amplamente aceita hoje em dia. Ter um objetivo, além de nos oferecer a visão de um futuro positivo, é um ponto de referência nos tempos de adversidade.

Quando crianças, estabelecemos naturalmente os nossos objetivos. Queremos fazer parte da turma, ter boas notas na escola e sentir a aprovação dos pais e dos colegas. Quando adolescentes, investimos em experimentar relacionamentos e sonhar com o futuro. Nessa fase, acreditamos que todas as possibilidades do mundo estão ao nosso alcance.

Na idade adulta, porém, a tendência é estreitar o foco e pensar mais em nossas responsabilidades financeiras e nos compromissos com a família. Às vezes ficamos deprimidos porque não sabemos mais sonhar. Duvidamos da nossa capacidade de criar o que queremos e de nos tornarmos a pessoa que desejamos ser. Muitas vezes, na passagem do Ano Novo, fazemos tímidas promessas de mudanças que nunca acontecem. Quando nossos desejos não se realizam, encolhemos os ombros e pensamos: "Eu sabia que não adiantava estabelecer objetivos."

O que falta é firme determinação. Quando sabemos claramente o que queremos e nos empenhamos em conseguir, o sonho se realiza. Pode ser que tenhamos que empregar mais esforço ou que os objetivos alcançados não sejam exatamente como idealizáramos. Talvez apareçam barreiras pelo caminho. Nada disso deve nos deter. Se, apesar de tudo, persistimos e tocamos em frente, acabaremos descobrindo um meio de conseguir o que queremos.

Cada vez que atingimos um objetivo, a nossa auto-estima melhora e tomamos mais consciência do processo de criação. Pode ser que, no início, só acreditássemos um pouco na nossa capacidade de atingir um objetivo. Mas, se persistimos, a confiança aumenta e passamos a levar o nosso sonho cada vez mais a sério. Até que, um dia, olhamos em volta e descobrimos que nossos objetivos se tornaram realidade. Nesse momento esquecemos as dificuldades e o trabalho árduo e ficamos simplesmente encantados com o milagre da criação.

Estabelecendo Objetivos

Estabelecer objetivos pode ser um processo mágico de autodescoberta. Para começar, precisamos ter uma idéia bem clara do que queremos. Isso é muito simples quando o objetivo é algo material, como um carro, uma casa ou roupas novas. Pesquisando em revistas, visitando algumas lojas e ouvindo opiniões de pessoas em quem confiamos, conseguimos escolher o que mais nos convém. É um objetivo gostoso de alcançar porque certamente traz alegria para a vida. E é estimulante entrar em conexão com as pessoas com quem temos afinidade quando estamos em busca de um objetivo.

Mas quando passamos dos objetivos estritamente materiais para os nossos sonhos mais profundos alguma coisa diferente acontece. À medida que vamos estabelecendo e alcançando objetivos, começamos a perceber que existem objetivos que vêm de uma parte superior de nós mesmos. É quando tomamos consciência da necessidade de elaborar para as nossas vidas um projeto mais abrangente que esteja em sintonia com as nossas maiores aspirações.

A descoberta desse projeto é desafiante. É preciso refletir cuidadosamente e tentar muitas vezes até chegar à definição do que realmente queremos, em última instância, realizar na vida. Às vezes temos certeza quanto a alguns aspectos, como o tipo de relacionamento que desejamos, mas não conseguimos decidir qual a melhor carreira a seguir. Ou estamos certos a respeito de nossas crenças espirituais, mas não sabemos como conciliar essas crenças com o lado lúdico da vida.

Com freqüência não sabemos que caminho seguir porque nos habituamos a viver de acordo com as crenças alheias. Todos nós queremos ser aceitos e nos sentir integrados de algum modo. É preciso coragem para escutar e acolher aquela suave voz interior que nos guia na direção do que somos autenticamente, fazendo-nos respeitar nossas intuições.

Se ouvirmos essa voz, a intuição nos guiará, tornando mais fácil a descoberta daquilo para que fomos criados. Essa intuição se revela sob a forma dos sonhos sobre como gostaríamos de ser. Ou da atração que sentimos vendo alguém realizar algo que nos leva a pensar: "Eu gostaria de fazer isso." Ou do impulso forte que nos chama em determinada direção. Todas estas são indicações movidas pela intuição que aponta nossos objetivos fundamentais.

Outra forma de identificar nossos objetivos é observando quais são as atividades que mais nos estimulam e apaixonam e para as quais temos um dom natural. Talvez você tenha vontade de comprar um barco e dar a volta ao mundo, de escrever um romance ou de abrir um negócio. Podem ser coisas simples, mas esses desejos estão apontando o caminho, empurrando você na direção que mais lhe convém. Mas, em contrapartida, quando ao tomar determinada direção – muitas vezes imposta pela expectativa externa – você sentir dentro de si alguma resistência, respeite-a como um sinal de que não é esse o seu rumo.

Existem perguntas que você pode se fazer para definir com mais clareza quais são os seus desejos mais profundos: "Como seria a vida que me trouxesse mais alegria e estímulo?" "Se eu pudesse viver como realmente quero, o que estaria fazendo e quem estaria ao meu lado?" Acolha seriamente as respostas que lhe ocorrerem. Você pode ter uma visão do futuro, ouvir algo ou ter algum sentimento especial. Analise essas informações e procure incorporá-las à sua vida.

Tenha objetivos bem definidos. Não se prenda apenas a um ideal de sucesso na carreira. Você não vai querer chegar à presidência de uma grande empresa e trabalhar até ter que se afastar, com a saúde abalada, incapaz de acompanhar a sua mulher – ou marido – no cruzeiro que passaram trinta anos planejando.

Inclua objetivos relacionados à saúde, às finanças, aos relacionamentos, à espiritualidade e às suas atividades preferidas. Analise cuidadosamente a influência que esses objetivos terão em sua vida. Se acha que deve voltar a estudar, pense primeiro em como conciliar isso com a parte financeira e com as necessidades da sua família. Faça perguntas objetivas, como "Se eu perder peso, que diferença isso fará na minha vida?" ou "Se eu encontrar o parceiro perfeito, o que vai mudar?". Raciocinar a partir dos objetivos vai evitar que você se esforce para conseguir uma coisa e venha depois a descobrir que não queria nada daquilo. Fará também com que você respeite e valorize seus objetivos, porque verá claramente as mudanças positivas que eles trarão para sua vida.

Entrando em Ação

O passo seguinte à definição do objetivo é a ação. Podemos esperar, desejar ou sonhar, mas a única forma de alcançar o objetivo é agindo. Tudo que existe em volta de nós só foi criado porque alguém primeiro imaginou e depois trabalhou para transformar em realidade. A casa onde você mora já foi apenas um projeto que os operários executaram. As lâmpadas que afastam a escuridão são o resultado da visão e do empenho de Thomas Edison. E houve um tempo em que o telefone, tão incorporado à nossa vida diária, era somente um sonho de Alexander Graham Bell. Se essas pessoas não tivessem primeiro seguido suas intuições para determinar o que queriam e em seguida entrado em ação, não estaríamos usufruindo os benefícios que seus inventos trouxeram.

Alguns objetivos já trazem junto um plano de ação. Se você quer ser médico – ou médica –, tem que cursar a faculdade de medicina, fazer residência em um hospital e escolher uma especialidade antes de começar a exercer a profissão. Se quer abrir seu próprio negócio, precisa conseguir o local e elaborar um plano financeiro.

Mas existem objetivos que não são tão fáceis de planejar. É difícil saber quais são as etapas a seguir quando se trata de encontrar o parceiro ideal e se apaixonar. Para alguns objetivos, até elaboramos um claro plano a longo prazo, mas não sabemos por onde começar. Por isso é tão importante anotar e reler periodicamente os nossos objetivos: Quando escrevemos, aumenta o nosso compromisso em fazer acontecer. Por algum motivo, o que vemos escrito com a nossa própria letra parece mais real. E cada vez que lemos, nosso inconsciente recebe um aviso para estarmos atentos às novas pistas que apontam o caminho da realização.

Ao passar em revista os seus objetivos, visualize-os como se estivessem realizados. Inclua-se na cena e pense no prazer que trarão. Use ao máximo os seus sentidos. Veja-se usufruindo o que o objetivo lhe trouxe e ouça-se dizendo "Estou tão feliz de ter realizado isso". Ouça também os outros afirmarem como estão orgulhosos de você. Perceba o respeito que sente por si mesmo e a alegria que o invade.

Depois de visualizar repetidamente os seus objetivos, você vai notar uma coisa interessante acontecer. O que era uma visão remota e nebulosa ganha contornos claros e definidos. Parece real, em três dimensões. Deixa de ser um ponto distante no futuro para tornar-se palpável, como se já estivesse acontecendo diante dos seus olhos.

Manter os objetivos no primeiro plano da mente deixa você mais atento para as oportunidades. Você começa a reparar nas possibilidades que antes nem percebia. Lembre de um objeto que tenha comprado – um carro, por exemplo. Quando o estava procurando, não teve a impressão de começar a ver carros iguais ao que desejava em toda parte? Eles já existiam, mas você não tinha motivos para notá-los. O mesmo acontece quando você definiu e busca um objetivo. Você começa a encontrar gente com idéias semelhantes às suas. De repente, você liga a televisão no exato momento em que o assunto está sendo discutido em um determinado programa e consegue as informações que procurava.

Outra etapa importante da ação é viver como se os seus objetivos já tivessem sido alcançados. Determine como você seria depois de realizar os seus sonhos. Como se sentiria diante da vida? Como trataria os outros? Comece a pensar, agir e falar de acordo com as suas respostas. Nosso inconsciente tem uma forte necessidade de ser coerente com o modo como nos vemos. E o mundo responde à forma como nos apresentamos. Então, crie uma identidade de acordo com o que você quer da vida. Isso vai ajudá-lo a preparar-se para a sua nova forma de viver. E também revelará as dúvidas ou medos que você ainda possa ter com relação aos seus objetivos.

Seja Persistente, mas Flexível

Se você definiu claramente o seu objetivo, partiu para a ação, reviu várias vezes seus objetivos e, ainda assim, nada aconteceu, talvez precise usar de flexibilidade e mudar a abordagem.

Muitas vezes as pessoas não alcançam o que querem porque insistem no que não está dando certo ou desistem cedo demais. Os que entregam os pontos costumam dizer "Eu tentei de tudo", quando, na verdade, foram só três ou quatro tentativas. Só quem persiste consegue – quem tenta centenas de vezes até, finalmente, alcançar o resultado.

Conheço uma mulher que passou vinte anos tentando emagrecer. Começava e desistia. Nada que fazia dava resultado. Perdia e recuperava os mesmos sete quilos. Até que ela decidiu mudar sua meta: em vez de procurar ser magra, resolveu que iria investir para ser saudável. Focalizando a saúde, entendeu como a alimentação inadequada fazia seu corpo reagir com o excesso de gordura. Enquanto esteve concentrada em "ser magra", não tomou consciência dos efeitos negativos de certos alimentos. A mudança de foco trouxe as novas informações que contribuíram para a realização de seu objetivo.

A criação de nossos objetivos exige todo um processo. É muito comum começarmos cheios de entusiasmo, passando logo para o desânimo e a insegurança. Isso acontece quando, apesar de estarmos nos esforçando fortemente, vemos poucos resultados. Ou então quando tudo está caminhando bem e, de repente, o processo entra em "compasso de espera". Às vezes dá até vontade de desistir. Por isso é importante tomar consciência que todo processo passa por altos e baixos.

Não adianta bater pé e insistir em chegar ao objetivo por um caminho predeterminado. Muitos caminhos levam ao mesmo destino. Talvez seja preciso efetuar pequenas mudanças. Pare e pense. Talvez a sua visão não esteja bem clara. Ou, quem sabe?, você está querendo demais em pouco tempo. Pode ser necessário dividir o seu objetivo em etapas menores e mais específicas.

Às vezes parece que não está acontecendo nada, mas as coisas estão andando de uma forma que não percebemos. A pessoa que pode lhe ajudar pode estar a caminho, mas ainda não chegou. Ou a casa que você procura pode não estar à venda hoje, mas estará na próxima semana. Coloque a sua lista de objetivos em uma gaveta por alguns dias. Relaxe e aproveite a vida. Isso lhe dará energia para ver as coisas com outros olhos e descobrir qual deve ser o próximo passo.

Uma Atitude de Gratidão

É possível que o passo seguinte seja valorizar o que já foi conseguido. A gratidão parece aumentar a fartura. Quando nos concentramos no que não temos ou no que vai mal, interrompemos o fluxo do bem. Quando sorrimos, as pessoas sorriem para nós. O que damos recebemos de volta, multiplicado.

Em seu livro *Uma Amizade com Deus*, Neal Donald Walsh sugere que, antes de pedir, devemos sempre fazer uma oração de agradecimento. Agradecer a Deus antecipadamente aumenta a confiança de que vamos receber o que desejamos.

E, lembre-se, toda experiência é importante, por mais banal que possa parecer. Se você quer progredir, invista na situação atual. Imagine um rapaz que trabalhe como ajudante de garçom, mas tenha o sonho de chegar a gerente de restaurante. Ele deve reconhecer o valor de sua função e se esforçar para chegar a garçom e, mais tarde, a gerente. Se, no decorrer da experiência, chegar à conclusão de que essa não é sua vocação, ele pode usar o conhecimento e as habilidades que acumulou para desenvolver-se em outras áreas.

No caminho para a realização dos nossos objetivos todos os passos são importantes. As tarefas mais simples que executamos são uma preparação para alguma coisa melhor. Portanto, comemore cada conquista, por menor que seja, pare por um momento para agradecer e dar um tapinha de parabéns nas suas próprias costas. Você está ativamente fazendo o que é preciso para construir a vida que sonhou.

Meditação

A finalidade desta meditação é levar você a ver com mais clareza os seus objetivos.

Antes de começar, cuide para que não haja nenhuma interrupção durante quinze minutos. Procure um lugar calmo, onde possa relaxar.

Durante a meditação você provavelmente vai encontrar várias respostas sobre os seus objetivos. É bom ter à mão papel e caneta para tomar nota quando terminar.

Para começar, inspire profundamente e expire. Outra vez. Sinta o seu corpo relaxando à medida que respira...

Solte os ombros e libere a tensão...

Desligue a sua atenção do que acontece em torno e volte-se para a meditação...

Espere algum tempo até acalmar a mente e relaxar o corpo...

Agora comece a sentir uma alegre expectativa porque você vai começar a tomar consciência dos seus objetivos...

Pense nos seus objetivos atuais. O que você tem feito para atingir esses objetivos?...

O que é que você considera uma vida ideal? Como seria a vida que você deseja?...

O que você estaria fazendo?...

Quem faria parte da sua vida?...

Como seria a sua rotina diária?...

Que tipo de profissão você estaria seguindo?...

Você sairia para trabalhar fora ou trabalharia em casa?...

E o seu corpo? Como seria ele?...

Você teria a energia necessária para fazer as coisas de que gosta?...

Teria muitos grandes amigos?...

Existe na sua vida alguém especialmente importante?...

Como você se relacionaria com a sua família?...

Na sua imagem mental existem amigos com quem você gostaria de estar?...

Você estaria em harmonia consigo?...

Teria tempo suficiente para se divertir?...

Quais seriam suas formas de lazer?...

Como seria a sua vida espiritual?...

Você sentiria uma ligação especial com Deus?...

Esta é uma ligação que você gostaria de aprofundar?...

E quanto aos seus bens materiais? Você teria um carro novo, roupas e jóias?... Ou levaria uma vida simples, mas confortável?...

Como seria a sua casa?...

Onde você passaria as férias?...

Quanto dinheiro teria no banco?...

Sinta-se vivendo essas experiências...

Você sentiria muita gratidão por estar realizando o seu ideal de vida?...

O que diria se tudo isso fizesse parte da sua vida?...

Avance cinco anos no tempo e imagine que viveu essa vida ideal por cinco anos...

Depois de cinco anos, como é que você está?...

Como é que você trata os outros?...

Como é que os outros tratam você?...

Em que você mudou?...

Tem mais autoconfiança?...

Sente-se mais capaz de dar amor?...

Consegue pensar em como usar tudo que recebeu para ajudar os outros?...

Você se preocupa em ajudar os outros?...

Viva esse sonho por mais alguns instantes...

O que é que você precisa fazer para ter a vida que sonhou?

Precisa melhorar os seus relacionamentos, a sua saúde ou as suas finanças?...

Por onde começaria?...

O que mais precisa fazer?...

Consegue a partir de agora agir e falar como se o seu sonho já fosse realidade?...

Anotar e reler diariamente os seus objetivos ajudaria você a manter viva a sua visão?...

O que você pode fazer nas próximas vinte e quatro horas para dar início à realização do seu sonho?...

Antes de terminar a meditação fique mais algum tempo vivenciando a sua vida ideal...

Quando achar que é hora, vá voltando para o ambiente onde está...

Comece a mexer o corpo devagar...

Volte ao momento presente sabendo que, se continuar a analisar os seus objetivos, você irá percebendo com mais clareza qual é a melhor direção a seguir. Quanto mais os seus desejos tomam forma, mais se tornam parte da sua vida.

CAPÍTULO TRÊS

Criando Prioridades no Tempo e no Espaço

Você já teve um dia "daqueles"? Um dia em que sentiu que, se tivesse mais uma única tarefa a cumprir, não iria suportar? Lixo acumulado, gente doente em casa, carro enguiçado, contas vencendo, o telefone tocando sem parar...

Todos nós passamos por períodos em que não conseguimos dar conta de tudo. Ainda nem acabamos o que era para ontem e as obrigações de hoje já nos esperam, uma lista delas. O serviço doméstico por fazer, tudo fora do lugar. Parece que a vida nunca mais vai voltar ao normal. E começamos a cuidar do que parece mais urgente em vez de fazermos o que é mais importante.

O melhor modo de enfrentar períodos agitados e aliviar a carga do excesso de tarefas é criar uma estratégia de administração do tempo e organização do espaço pessoal. Quando conseguimos planejar as tarefas diárias, fica mais fácil retomar a programação depois de enfrentar uma emergência. Assim como, depois de ter a casa cheia de visitas ou de uma semana em que não houve tempo para arrumações, conseguimos deixar tudo em ordem rapidamente, porque os objetos já têm lugar certo.

Este capítulo se propõe a ajudar você a desenvolver um sistema que se adapte ao seu estilo individual. Seguindo nossas sugestões, você não só vai controlar melhor a sua vida como encontrar tempo para aproveitar os momentos especiais de cada dia.

Assumindo o Controle do Seu Tempo

Como aprender a administrar o tempo? Como conciliar trabalho, lazer e obrigações familiares? Acredito que o primeiro passo é definir exatamente o que é mais importante na nossa vida. Em outras palavras: estabelecer as reais prioridades conscientemente e obedecer a elas. Quando fazemos isso conseguimos não ceder à tentação de incluir mais uma atividade em nossa agenda ou aceitar mais um compromisso, porque sabemos que estaremos desviando nossos esforços do que é mais importante. Dessa forma ficamos mais donos do nosso tempo, o que é uma ótima forma de evitar o estresse.

Preste atenção nas suas responsabilidades. Você tem filhos? Tem um marido – ou mulher? É líder em sua comunidade? Administra uma empresa? Considere cada uma das suas responsabilidades. Qual delas exige mais atenção? Quais exigem menos? Qual é a prioridade máxima?

Agora pense em seus objetivos. Verifique se reservou tempo suficiente para perseguir os seus objetivos e cumprir as suas responsabilidades atuais. Se a saúde é um dos seus objetivos, é natural que reserve um horário para exercícios físicos em vez de só fazer quando tiver tempo. E se seu objetivo é ser um bom pai – ou uma boa mãe –, o tempo dedicado à família deve estar a salvo de interrupções.

A chave do processo é identificar e seguir as suas prioridades, organizando os horários de acordo com elas e prestando atenção para não se perder. Ao fim da cada dia você vai se sentir bem mais feliz ao verificar que realizou o que era mais importante. Se você se aborrece por não ter tempo livre, faça disso um dos seus objetivos e lhe dê prioridade. Seguindo um bom planejamento, você vai se surpreender com o tempo que sobra para estudar novos assuntos, apreciar o pôr-do-sol, falar ao telefone com os amigos ou viajar para os lugares que você deseja.

Mas saiba que sempre pode haver momentos em que uma verdadeira avalanche de novas responsabilidades ameace soterrar você. Talvez uma doença na família ou um novo projeto de trabalho ou estudo. Nessas situações, tente seguir a sua programação básica – apenas adie algumas tarefas. Em tempos difíceis, a ajuda de um amigo ou parente é sempre bem-vinda. A cada responsabilidade que é delegada o fardo fica mais leve.

Por todos os meios, evite a tentação de, em cima da hora de um compromisso, querer esticar o tempo, fazendo mais uma coisinha em vez de sair de uma vez. Não esvazie a máquina de lavar louça, não regue as plantas nem atenda o telefone. Deixe isso para depois. Dirija a sua atenção para o seu objetivo. Assim, vai chegar ao seu compromisso na hora marcada, sem grandes afobações, com a calma e concentração necessárias para tratar do assunto que lhe interessa.

Organizando o Ambiente

A vantagem de viver em um ambiente organizado é a economia de tempo e energia mental que se tem para dedicar a outras coisas. Todos nós vivemos em um espaço mais ou menos organizado. O que proponho aqui é verificar se o seu grau de organização é suficiente para enfrentar melhor a correria do dia-a-dia. Quando você tem um local determinado para guardar os papéis importantes, as chaves do carro e os óculos de sol, por exemplo, não precisa estressar-se e desperdiçar tempo procurando, nem corre o risco de perdê-los. Quando cada coisa tem seu lugar, tudo fica muito mais fácil.

Faça uma lista do que você usa em casa e no trabalho e veja se precisa aperfeiçoar a sua organização pessoal. Eu sugiro fazer isso em três etapas. Primeiro, analise a sua utilização do espaço em casa ou no trabalho e veja como poderia melhorar. Em segundo lugar, providencie o que for preciso para colocar em prática o seu plano. E em terceiro, faça as modificações. Mas não queira fazer tudo de uma vez. Tire um dia ou um fim de semana para estudar o ambiente, outro para comprar o que achar necessário e só então faça a arrumação. O importante é não deixar que o projeto se torne uma tal sobrecarga, que faça você desistir. Tente ver o processo como uma coisa agradável que vai evitar muita frustração e perda de tempo no futuro. Mas vamos aos detalhes.

Avalie

Vá de cômodo em cômodo e observe sistematicamente a maneira como está utilizando o seu espaço. Por exemplo: tem um lugar certo para os documentos? Roupa de inverno e de verão fica misturada? Existe algum cômodo abarrotado de livros e jornais que você não vê há muito tempo? Tome nota das áreas-problema, como, por exemplo, um armário tão desorganizado, que seja quase impossível encontrar o que vestir. Ou um banheiro cheio de potes de creme pela metade, remédios com prazo de validade vencido e frascos de xampu que você não usa mais. Ou então uma cozinha onde você não tem prazer em ficar, tal a quantidade de embalagens abertas, artigos de mercearia e utensílios misturados dentro dos armários ou espalhados em cima da pia.

Durante a sua inspeção, faça uma lista de tudo que precisa de conserto. É indispensável anotar tudo que não é usado há muito tempo. Decida se vai jogar fora, reformar, doar ou vender. O objetivo é eliminar ao máximo a desorganização.

Feito o relatório, é hora de decidir como utilizar melhor o seu espaço. Comece por um cômodo ou um determinado lugar no cômodo especialmente problemático. Pense em como ficaria se fosse melhor aproveitado. Por exemplo: se você tem uma lavanderia em completa desordem, decida como você quer que ela fique e funcione depois de organizada. Talvez muita coisa tenha sido deixada por lá porque a lavanderia fica nos fundos da casa, onde a desordem fica mais escondida, e não existe outro lugar para guardar certos objetos. Ou talvez o motivo da confusão seja não haver um lugar próprio para guardar a roupa limpa que sai da secadora. Decida o que pode ficar e o que tem de sair. Se alguns objetos não têm nada a ver com as roupas, que tal colocá-los juntos para decidir primeiro o que pode ser descartado, depois arranjar um lugar melhor para os que quer conservar, providenciando armários ou prateleiras para guardá-los. E se o problema são mesmo as roupas, por que não um cesto fechado para elas?

Outro exemplo é aquele canto onde os jornais vão se amontoando. Comece fazendo uma triagem e tendo coragem para jogar fora os jornais antigos que você pretendia ler, mas sabe que não encontrará nunca tempo. Se há em um ou outro jornal algum artigo que você queira guardar, recorte-o e guarde-o em uma pasta. Arranje um porta-jornais ou uma bancada para colocá-los, deixando o ambiente mais arrumado. Habitue-se a descartar diariamente os jornais já lidos.

Se estiver em dúvida quanto à melhor forma de organizar sua casa ou escritório, procure ajuda. Contrate um profissional ou peça a colaboração de uma amiga cuja capacidade de organização você admira. Convoque as pessoas que moram ou trabalham com você e ouça suas sugestões.

A finalidade da organização do espaço é deixar você mais confortável, vivendo de acordo com o estilo de vida que deseja. Em vez de forçar você a adaptar-se ao ambiente, criar um ambiente onde você se sinta bem. Podem ser pequenos detalhes que incomodam, como os suportes para toalhas no banheiro. Se você e sua família reclamam por ter que dobrar e arrumar a toalha cada vez que a usam, arrume suportes em forma de gancho. Assim é bem mais provável que a toalha esteja sempre pendurada. E se a correspondência e os trabalhos escolares são jogados em uma mesa na entrada da casa e isso incomoda, providencie duas caixas onde sejam colocados para que todos tenham acesso de uma forma organizada.

É importante envolver as outras pessoas da casa na organização, mesmo que não partilhem da sua necessidade. Manifeste seu desejo e peça para que pelo menos as áreas comuns da casa sejam respeitadas. Não é fácil e pode exigir bastante investimento, mas os resultados serão altamente compensadores para todos. Se houver muita resistência, comece pelo seu espaço individual. É provável que, ao verem o aspecto do cômodo organizado e o tempo que você economiza, os outros acabem se interessando.

Compre o que For Preciso

Depois de avaliar a sua casa ou escritório, e tendo anotado as modificações que pretende fazer, organize uma lista de tudo que vai ser necessário. Não se esqueça das lâmpadas, do material de limpeza, dos sacos de lixo, das ferramentas.

Na hora de fazer as compras, não se preocupe em economizar e, se puder, compre todos os itens indispensáveis. Se é para ter mais tempo livre e sofrer menos, vale a pena pagar.

Entre em Ação

O terceiro passo, depois que o segundo estiver resolvido, é tirar várias horas para instalar o seu sistema de organização. Comece por um lugar onde os resultados possam ser mais evidentes. Isso vai servir de motivação para que você organize o resto da casa ou do escritório. Trabalhe em uma área de cada vez. Geralmente abandonamos um projeto pelo meio porque não soubemos dividi-lo em vários segmentos. Você decidiu começar pelo quarto e o armário de roupas é o problema mais grave? Então arrume primeiro o armário e só depois cuide do resto do quarto.

Vamos tomar como exemplo a arrumação do seu guarda-roupa. Você talvez goste da idéia de Julie Morgenstern, autora de *Organizing from the Inside Out* (Organizando de dentro para fora). Ela sugere ter à mão três caixas com as seguintes etiquetas: "dar", "guardar em outro lugar" e "consertar". Este sistema ajuda a decidir rapidamente o destino das peças. Se encontrou alguma coisa de que não precisa, não gosta ou quase não usa, livre-se dela. Está só ocupando espaço. Se acha que deve guardar porque pode vir a precisar um dia, pelo menos arranje um outro lugar onde fique mais bem arrumada. Só assim você mais tarde vai conseguir encontrar facilmente o que faz parte do seu uso diário.

Depois de decidir o que vai guardar ou não, comece a

arrumar. Se for conveniente, junte em um local todas as calças e em outro todas as camisas. Se quiser detalhar ainda mais, arrume por cor e separe as roupas de verão das roupas de inverno. Os sapatos e roupas que você mais usa devem ficar onde seja mais fácil alcançar e guardar.

Durante a organização talvez você conclua que precisa fazer outras mudanças estruturais. Observe quais são os lugares por onde as pessoas normalmente transitam e procure desimpedi-los, afastando, por exemplo, uma mesa para facilitar a passagem de um cômodo para outro. Um quadro colorido que fica num local pouco iluminado talvez possa sobressair mais em outro lugar, enfeitando o ambiente. Descubra o melhor lugar para cada objeto.

Outra possibilidade para a organização da sua casa ou do seu escritório é seguir a orientação do *feng shui*, uma antiga arte de decoração. Os chineses são conhecidos por sua crença em certas regras para a disposição de objetos em volta ou dentro das construções. Eles acreditam que uma arrumação estratégica atrai saúde e prosperidade. A lista de sugestões para leitura no fim deste livro inclui obras sobre o tema.

Com o seu novo sistema de organização já instalado, use-o durante algumas semanas observando como funciona. Assuma o compromisso de adquirir novos hábitos. Depois faça uma avaliação vendo se tudo está mesmo fluindo melhor e economizando tempo. Se achar que algum cômodo ainda não satisfaz, modifique novamente. A finalidade do sistema é permitir que você mantenha o ambiente em ordem com o mínimo de esforço.

A História de Michelle

A história de uma jovem chamada Michelle é um bom exemplo de como podemos mudar a vida organizando o espaço e administrando o tempo. Logo que começou a cursar a faculdade, Michelle percebeu que a vida estava fugindo ao seu controle. As matérias eram muito mais difíceis do que ela esperava e, longe de casa pela primeira vez, não sabia como administrar o tempo. Em vez de estudar, aproveitava a recente liberdade se divertindo.

Depois de alguns meses, ainda no primeiro semestre, Michelle começou a se sentir sufocada em um apartamento pequeno, com duas companheiras que recebiam amigos o tempo todo. A presença constante de outras pessoas invadia seu espaço pessoal.

Quando as coisas começaram a ficar insustentáveis, ela foi conversar com os pais. Eles aconselharam Michelle a procurar o orientador da faculdade. Com a ajuda dele, ela conseguiu entender que, se continuasse com o mesmo comportamento, ia se sentir cada vez mais perdida. O orientador aconselhou Michelle a primeiro organizar seu carro e o apartamento onde morava, para começar a retomar o controle da situação. E ajudou na elaboração de um programa em que havia tempo para o estudo e para o lazer.

Ela começou a agir assim que deixou a sala do orientador. Passou uma semana sozinha na casa de uma amiga, planejando a maneira de colocar a vida nos trilhos outra vez. E voltou ao apartamento decidida a reorganizar o ambiente e administrar melhor o tempo.

Em poucas semanas voltava a ser a antiga Michelle, produtiva e eficiente. Para incentivar as colegas a ajudarem na organização, planejou com elas um sistema para limpeza do apartamento e pregou um cartaz com a escala de tarefas. Negociando, conseguiu ficar uma hora por dia sozinha em casa enquanto as outras iam à aula, à biblioteca ou saíam com os amigos. Além disso, passou a levar mais a sério suas obrigações de aluna, cumprindo rigorosamente os horários de estudo.

Os novos hábitos continuaram mesmo depois do fim do curso. Quando se casou e teve filhos, Michelle continuou reservando um tempo só para ela, porque sabia que para ser boa esposa e mãe precisava ter o direito de ficar sozinha e pensar. E criou um sistema de organização de acordo com o estilo de vida de sua família.

A história de Michelle confirma a necessidade de um bom sistema de organização. Só precisamos descobrir o que funciona melhor para nós e integrar esse sistema a todas as fases da nossa vida.

Meditação

A finalidade desta meditação é ajudar você a controlar melhor a sua vida organizando o seu ambiente e administrando o seu tempo.

Primeiro solte os ombros, relaxe o pescoço e as costas...

Procure uma posição em que seu corpo fique ainda mais relaxado...

Inspire profundamente e sinta-se esvaziando...

Saiba que esta é a coisa mais importante que você poderia estar fazendo agora...

Deixe seus pensamentos se soltarem...

Espere mais uns quinze segundos para que seu corpo relaxe e sua mente se acalme...

Vamos nos concentrar primeiro na administração do tempo.

Pense em como você costuma empregar o seu tempo. O que você faz em geral durante o dia?...

O que você faz normalmente durante a semana?...

O que é que parece funcionar bem em sua programação atual?...

Você tem certas rotinas que dão bons resultados? Talvez haja um dia certo para ir ao supermercado, outro para jantar fora com amigos...

O que não funciona bem no modo como você divide o seu tempo?...

Você tem a impressão de estar sempre correndo?...

Você não consegue fazer tudo que gostaria?...

Você tem tempo suficiente para se dedicar bem à família e aos amigos?...

O que é que você gostaria de fazer, mas não encontra tempo?...

Como gostaria de usar o seu tempo?...

O que você eliminaria da sua rotina atual, se pudesse?...

E o que acrescentaria?...

O que seria preciso fazer para usar o seu tempo do modo como gostaria?...

Você acha que seria útil definir o que é mais importante na sua vida para então organizar o dia de acordo com as suas prioridades?...

Existe alguma tarefa que você poderia delegar?...

Você acha que seria possível adiar algum projeto?...

Há alguma coisa que você possa fazer hoje para aproveitar melhor o seu tempo?...

O que mais você poderia fazer?...

Antes de começar a organizar o seu ambiente, veja se tem mais alguma idéia para mudar a forma de administrar o seu tempo...

Agora vamos pensar em como organizar o seu ambiente para ajudar a economizar tempo.

Pense em um cômodo da sua casa que precisa urgentemente de arrumação... Seu quarto... Uma sala... A cozinha... O que você preferir...

A arrumação desse cômodo vai ajudar você a administrar melhor o seu tempo?... De que forma?...

O que há de errado lá? É difícil limpar por causa da desordem? A desordem incomoda você?...

Você sente alguma preocupação quando pensa na desordem desse cômodo?...

Por que o cômodo está em desordem?... Será que falta lugar para guardar os objetos? Será que são os papéis acumulados? Ou será que pessoas da sua família deixam tudo espalhado?...

Como é que você pretende usar esse espaço? O que vai ter que continuar lá?

Se você pudesse usar esse cômodo exatamente como gostaria, o que faria?...

O que eliminaria primeiro?... O que acrescentaria?...

Que outras mudanças faria?...

Veja esse cômodo exatamente como você queria que ele fosse organizado e imagine-se lá por algum tempo...

Se esse cômodo estivesse organizado como você gostaria, que mudança isto traria para sua vida? Você se sentiria melhor recebendo visitas? Acabariam os atritos com a família? Você se sentiria melhor na sua própria companhia?...

Se depois desse cômodo estar organizado você passasse uma semana sem arrumá-lo, seria mais fácil colocá-lo em ordem rapidamente?...

Se você resolver organizar esse cômodo nos próximos dias, por onde vai começar?...

Você vai precisar de ajuda?...

Vai precisar comprar alguma coisa?... O quê?...

O que mais vai precisar fazer?...

Quando é que você gostaria de começar a arrumação?...

Pense por alguns minutos no que mais vai precisar fazer para mudar a organização desse cômodo...

Visualize de novo como o cômodo vai ficar depois que você arrumá-lo e usufrua o prazer de estar nele...

Quando achar que pode acabar a meditação, traga de volta a sua atenção para o momento presente...

Mexa o corpo devagar, tomando consciência dele, concentrando-se primeiro nos pés, depois no pescoço e nos ombros...

Antes de retomar a rotina do dia, não se esqueça de tomar nota das idéias que teve e de planejar o começo da arrumação.

Quando pensar em organizar o ambiente onde você trabalha, retome as perguntas desta meditação. Basta substituir a palavra "casa" por "escritório" ou "empresa".

CAPÍTULO QUATRO

Comunicação Eficiente

Todos nós entramos em contato com milhares de pessoas no decorrer da vida. Com algumas a afinidade é instantânea. A conversa flui, natural e interessante, levando a uma sensação de integração que transcende as palavras. Parece que já sabemos o que a pessoa vai falar antes que ela sequer abra a boca. Nas amizades antigas, é como se o tempo não contasse. Mesmo depois de meses ou anos de separação, retomamos o contato e a intimidade assim que nos encontramos.

Mas o contrário também acontece. Por maior que seja o esforço, a comunicação não se completa, nada combina. A conversa não tem continuidade, fica superficial. Temos dificuldade em entender as idéias da pessoa, seus pontos de vista e valores nos parecem completamente estranhos. E ficamos com a impressão de que ela também não nos entende.

Essa dificuldade de interação perturba e aborrece. Tira a nossa alegria. O que fazer em uma situação assim, principalmente se é uma pessoa importante para nós, talvez um parente, um colega de trabalho ou nosso chefe?

Existem alguns relacionamentos que vão ser sempre difíceis, mas acredito que a maior parte pode melhorar bastante se seguirmos algumas regras básicas. Na maior parte dos casos o conflito é resultado da diferença de crenças sobre a vida, e não de uma verdadeira incompatibilidade. O desafio é ultrapassar essas barreiras de pensamento, atravessar experiências e posições diferentes, para que possamos nos entender. O primeiro passo deste processo é ouvir.

Ouvir

A maioria dos especialistas em comunicação enfatiza a importância de ouvir com atenção. É muito freqüente, durante a conversa, estarmos mais preocupados com o que vamos responder do que com o que a outra pessoa está dizendo. Às vezes até interrompemos, nem esperamos que ela acabe de expor seu pensamento.

Quando a interação é difícil, é preciso ir além de uma tentativa superficial de entendimento. Temos que ouvir atentamente, procurando indícios que nos levem ao que está por trás das palavras. Só assim vamos notar certas frases ou expressões que revelam os valores e a ideologia da outra pessoa. E, além disso, ao escutar com atenção, damos a ela a sensação de ser valorizada e de estar sendo compreendida. Isto faz com que ela tome mais consciência de quem é e de quais são suas crenças. É mais ou menos o que acontece numa sessão de psicoterapia.

O poeta John Fox entende a importância de ser ouvido. Ele demonstra isso em seu poema "When Someone Deeply Listens to You" (Quando alguém ouve você atentamente), que diz o seguinte:

Quando alguém ouve você atentamente,
é como se você segurasse aquela canequinha
guardada desde a infância
e fosse vendo ela se encher devagar
de água pura e fresca.
Quando a água chega à borda,
alguém entendeu você.
Quando a água transborda e toca a sua pele,
você se sente amado.
Quando alguém ouve você atentamente,
tudo em volta
adquire vida nova
e o lugar onde você escreveu
seu primeiro poema
começa a brilhar nos olhos da memória
como ouro que fosse descoberto.
Quando alguém ouve você atentamente,
seus pés descalços pisam o chão
e uma terra querida que parecia tão distante
renasce dentro de você.

A chave da boa comunicação é ouvir. Ouvindo, você consegue conhecer mais profundamente o mundo interior da pessoa com quem está interagindo.

Pontos de Vista Diferentes

Embora seja costume dizer que em nossa cultura somos

todos muito parecidos, cada um de nós tem suas próprias crenças e opiniões sobre a natureza da vida. Essas opiniões vão se formando ao longo de muitos anos de experiências, desde a infância. Cada nova experiência se soma às já vividas, construindo pontos de vista e sistemas de valores individuais. Uma pessoa que venha de uma família cheia de amor e tranqüilidade certamente vai enxergar o mundo por uma ótica diferente daquela que passou a infância em orfanatos. Do mesmo modo, alguém que sofreu anos e anos com uma doença crônica tem uma postura diante da vida diferente de outra que nunca esteve doente.

Às vezes, nossas diferenças podem ser surpreendentes. Alguma vez já lhe aconteceu de estar conversando com alguém e, de repente, descobrir que a pessoa não entendeu nada do que você disse? Ou que ficou aborrecida sem nenhuma razão aparente? Talvez você tenha falado alguma coisa que não fazia sentido para a pessoa ou suas palavras tenham soado agressivas para ela, provocando uma reação defensiva.

É muito provável que tenha havido falha na comunicação e que a outra pessoa tenha dado a alguma palavra ou frase sua uma conotação diferente da que você pretendia. Isso é muito mais comum do que se pensa.

Só para esclarecer, pense em uma palavra simples, como "riqueza". As conotações podem ser as mais diversas. Para uns, "riqueza" é pagar as contas em dia e ter dinheiro suficiente para levar a família ao cinema e a um restaurante uma vez por mês. Para outros, "riqueza" é ter três casas e um jatinho. E para outros, "riqueza" pode significar ter uma família saudável e amigos queridos. Nossas definições são subjetivas, intuitivas e, às vezes, inconscientes.

Em nenhuma outra situação as nossas diferenças são tão evidentes quanto no relacionamento homem-mulher. Em seu livro *Homens São de Marte, Mulheres São de Vênus*, John Gray chama a nossa atenção para o fato de que homens e mulheres têm perspectivas diferentes sobre os relacionamentos e sobre a vida. Essas diferenças geralmente levam a discussões acaloradas, principalmente quando se trata da educação dos filhos, das finanças da casa ou mesmo dos momentos de intimidade. Para a mulher, um momento romântico de intimidade é uma conversa a dois, por exemplo. Para o homem, basta estarem juntos, mesmo sem falar. Depois de passarem a noite assistindo à televisão, a mulher é capaz dizer: "Nós nunca fazemos nada juntos." O homem fica absolutamente confuso ao ouvir isso. Em sua visão do mundo, eles fizeram alguma coisa juntos a noite toda. E talvez responda: "Como você pode dizer uma coisa dessas? Nós passamos a noite inteira juntos!"

Se eles não tomarem cuidado, a conversa pode se transformar rapidamente em uma discussão cheia de agressividade. Para o homem, "ela nunca está satisfeita". Para a mulher, "é ele que não me entende". A diferença de opiniões tem como único motivo as várias interpretações do que é "estar junto".

Para acabar com o conflito, o casal tem de aceitar que

os dois têm idéias diferentes sobre intimidade. Se o homem prestasse mais atenção, entenderia melhor o que a mulher quer dizer, ficaria menos confuso e seria mais compreensivo. A mensagem dela era: "Preciso de uns momentos tranqüilos, sem interrupções, para conversarmos sobre nós." Do mesmo modo, se a mulher percebesse o que "estar junto" significa para o homem, poderia começar a entender por que eles conversam pouco.

Situações como essa não são raras. Quantas vezes achamos que alguém é ignorante ou está absolutamente errado quando, na verdade, está apenas emitindo uma opinião ou expressando uma crença com base em suas próprias experiências. Quando não concordamos com o que o outro considera perfeitamente lógico a comunicação se interrompe de imediato.

Se ouvirmos alguma coisa que não nos agrada, é bom pedir à pessoa para explicar melhor o que disse. Podemos estar interpretando mal. E quando não formos bem entendidos, podemos consertar dizendo: "Talvez eu não tenha me expressado bem" ou "Vou explicar melhor". Isso desarma a outra pessoa, dando-lhe a oportunidade de falar sobre como interpretou o que dissemos.

Outra maneira de ter certeza de que estão entendendo o que você diz é perguntar "Você está entendendo o que eu quero dizer?" ou "Faz sentido para você?". Se for um ponto de vista muito importante, talvez seja bom pedir ao ouvinte para repetir o que você falou. É o melhor modo de saber como a sua mensagem chegou a ele.

Observe a linguagem corporal. Um olhar ou uma virada de cabeça podem denunciar se o ouvinte está entendendo ou não o que você diz.

Dramas de Controle

Às vezes, em uma relação, a sensação que temos não é de estar havendo desentendimento ou confusão, mas de que estamos sendo sutilmente manipulados ou menosprezados. Ao tentar entender o que acontece, podemos descobrir que estamos cumprindo um papel que nos foi imposto, envolvidos em uma situação criada pela outra pessoa. Eric Berne, conhecido estudioso da psicologia da comunicação, chama isso de "o jogo que as pessoas fazem".

Meu marido James Redfield, em seu livro *A Profecia Celestina*, relacionou esses jogos, que chamou dramas de controle. Dramas de controle são roteiros que quase nós todos seguimos quando sentimos medo, tentando chamar atenção e sentir mais segurança. Nesses dramas pode haver quatro tipos de personagens: o Coitadinho, o Distante, o Interrogador e o Intimidador.

Se você quiser manter uma vida de alegria, deve se recusar a participar desses dramas de controle, em geral inconscientes, e aprender a resolver as dificuldades do relacionamento, preservando energia e respeito próprio. Com paciência, prática e compreensão, isso é possível. Tomar conhecimento dessas quatro formas de controle ajuda a lidar com as verdadeiras batalhas do ego que os "atores" criam. Não se esqueça de que o medo e a insegurança são a causa da encenação.

Vamos começar pelo drama do Coitadinho. Dos quatro, é o mais passivo. O Coitadinho vê o mundo como um local muito perigoso e ameaçador e está sempre prevendo uma tragédia inevitável que vai se abater sobre sua vida. A única esperança do Coitadinho é que apareça um salvador. Como, por ironia, ele não acredita na solidariedade alheia, usa a bajulação e chantageia explorando o sentimento de culpa para conseguir o que quer. Quando alguém cai na sua armadilha, ele se sente seguro.

Em geral, este comportamento é o resultado de ter tido pais violentos ou muito críticos que convenceram o Coitadinho de sua impotência. Quando criança, sua única satisfação era perceber a pena que os outros sentiam dele.

Quando conversar ou se relacionar com alguém que faça o papel de Coitadinho, concentre-se em seu ponto de vista. A certeza de que você não é responsável pela felicidade daquela pessoa vai lhe dar mais vontade de ajudá-la. Outro recurso útil é projetar sobre ele energia e pensamento positivos. O que leva uma pessoa a encenar um drama de controle é, em primeiro lugar, sua sensação de ansiedade e impotência. Em vez de embarcar na culpa que ele procura despertar, dê-lhe amor para que ele se sinta bem.

O passo seguinte é muito delicado. Quando houver oportunidade, diga ao Coitadinho como você se sente em sua presença. Em outras palavras: fale do jogo em que você se sente envolvido contra sua vontade. Dê exemplos das vezes em que se sentiu vítima de manipulação. Como você sabe, não é fácil ouvir críticas, e ele pode não receber bem as suas palavras. É importante demonstrar amor e seu desejo de continuar o relacionamento – desde que deixe de ser um jogo.

Antes de falar diretamente com o Coitadinho, imagine como vai ser a conversa. Ou peça a alguém para ensaiar com você. Imagine a conversa tomando um rumo positivo.

Se você ou o que desempenha o papel de Coitadinho achar melhor, interrompa o relacionamento por algum tempo. Você pode continuar amando à distância e visualizar essa pessoa tornando-se feliz e saudável.

Pode ser que às vezes você se surpreenda desempenhando o papel do Coitadinho. Talvez seja perturbador, mas isso acontece com todo mundo e o importante é tomar consciência do que está se passando. Preste atenção para identificar os momentos em que tenta fazer alguém se sentir culpado. E lembre-se de como se sente mal quando alguém tenta manipular você. A maior parte das pessoas foge de quem vive explorando o sentimento de culpa dos outros, mesmo que seja um membro da família.

Quando se pegar fazendo uma cobrança do tipo "Por que você nunca me telefona?", pense no efeito que isso causa. Pense no que pode fazer para se sentir melhor. Descubra de que tem medo ou o que lhe dá insegurança. E identifique qual das suas necessidades não está sendo satisfeita.

Repare que quando você oferece amor e solidariedade

as pessoas se aproximam. Se achar que precisa mudar seus padrões de comportamento, procure um profissional. Com a ajuda de um terapeuta, você pode conseguir aumentar o seu amor-próprio e abandonar o papel de Coitadinho.

Outro drama de controle que se vê por aí é o do Distante. É um pouco mais agressivo que o do Coitadinho. Neste caso, a pessoa enxerga o mundo como uma fonte constante de crítica e condenação. Por isso, procura não revelar muitos detalhes do que acontece em sua vida. Pergunte a um Distante como passou o dia e ele vai responder vagamente "Tudo bem" ou "Nada de especial".

O Distante não confia aos outros informações pessoais. Quando criança, teve sua privacidade invadida por alguém que revelou o que descobriu, zombando ou criticando. Depois de adulto, por medo, continua a negar informações e usa a indefinição para se proteger no relacionamento. Essa indefinição confunde e nos obriga a fazer perguntas para tentar saber mais. Com isso, confirmamos o que o Distante suspeitava, pelo menos por algum tempo. É só quando o processo se estende demais que percebemos que estamos sendo manipulados.

Quando se relacionar com alguém que faça o papel do Distante, saiba que ele – ou ela –, na verdade, quer dizer "Tenho medo de que você me critique como já fizeram no passado". Inspire o máximo de confiança possível. Procure saber como é, para o Distante, uma pessoa confiável. Quando ele se afastar e se defender, tenha paciência.

Ele volta. Assim como foi dito em relação ao Coitadinho, passe a energia de que ele precisa, mas sem entrar no jogo. E mais uma vez, quando houver oportunidade, fale claramente.

Diga-lhe que quando estão juntos você tem a impressão de nunca conseguir uma resposta objetiva, por mais simples que seja a pergunta. E que você acha que aquele ar distante é para atrair atenção e não colocar-se por inteiro no relacionamento.

Caso você conclua que às vezes age como o Distante, procure descobrir o motivo. Você tem razões para ficar na defensiva ou está fazendo isso para impressionar os outros? Você gosta disso? É claro que nem todo mundo é confiável. Muita gente não amadureceu, e realmente precisamos nos proteger dessas pessoas. Mas também existe muita gente em quem você pode confiar. E se está manipulando alguém que gosta de você de verdade, pense em como isso desgasta a relação. Um dia essa pessoa pode desistir e se afastar, apesar do amor que sente.

Um terceiro drama de controle, ainda mais agressivo, é o do Interrogador. Neste caso, a pessoa acha o mundo muito perigoso porque está tomado pela desordem e pelo caos. A origem, geralmente, está em uma família desorganizada, onde ela se sentia abandonada e esquecida. Esse tipo de ambiente fez com que se sentisse responsável pela união da família e aprendesse a atrair atenção corrigindo os erros dos outros. Geralmente o Interrogador acaba se relacionando com pessoas distantes e pouco comunicativas.

Ao conversar com alguém que assume esse papel, somos logo tomados pela sensação de que a nossa competência está sendo questionada. Quando falamos sobre as nossas experiências, a resposta é alguma coisa do tipo "Não acredito que você tenha dito isso" ou "Não foi muito inteligente da sua parte". Se nos deixamos envolver por esse jogo, começamos a escolher cuidadosamente as palavras e a vigiar nossas atitudes. É assim que entramos no jogo do Interrogador dando-lhe a atenção que procurava.

Para não participar desse jogo inconsciente, respeite a pessoa e projete energia positiva sobre ela. Deixe que saiba como é especial para você. Mas, ao falar sobre a impressão de censura que sua presença lhe causa, não entre no mérito das críticas. Isso só iria desviar o rumo da conversa. Concentre-se em dizer que você se sente criticado. Quando você usa o máximo possível de consideração para transmitir isso a alguém, o jogo termina e o relacionamento se transforma em uma verdadeira troca.

Assim como nos casos anteriores, caso você se descubra fazendo o papel do Interrogador, preste mais atenção. Repare com que freqüência faz críticas aos outros e a si. E talvez descubra que você oscila, ora se sentindo superior, ora inferior.

Pode ser que você tenha se especializado em prever e evitar situações difíceis, desenvolvendo uma estratégia de vida. Mas existem maneiras de ajudar os outros sem ser arrogante. Se acha que alguém está prestes a cometer um erro, lembre-se de uma experiência semelhante que tenha vivido e conte como agiu ou gostaria de ter agido. Assim, vai evitar assumir uma posição autoritária. Antes de criticar alguém, pense no que faz uma amiga minha. Quando ela começa a falar alguma coisa e se arrepende, pára no meio e diz: "Não gostei do que eu disse. Se eu não gostei, vocês também não devem ter gostado. Vou falar de outro modo." É um gesto simples, mas conserta até os comentários mais infelizes.

O último – e mais agressivo – dos quatro papéis encontrados nos dramas de controle é o do Intimidador. A pessoa segue um roteiro de situações que viveu na infância em um ambiente de violência e maus-tratos absolutamente caótico e sem limites. Nesse contexto, aprendeu a repassar o castigo que recebia, agredindo violentamente irmãos e colegas. Na idade adulta, a atitude de "não vou admitir mais isso" cria um drama contínuo em que o Intimidador assume uma postura ameaçadora parecendo que vai perder o controle a qualquer momento. Em volta todos vivem tensos, assustados, dando ao Intimidador a atenção de que precisa para alcançar a segurança interior.

Lidar com o Intimidador pode ser muito complicado. Caso você se relacione com alguém que pode explodir a qualquer momento, ponha a segurança em primeiro lugar. Ao conversar sobre como ele faz você se sentir, coloque-se a uma distância segura. Principalmente se for uma pessoa amiga ou alguém com quem você tem muita intimidade. Prepare-se para ver a pessoa mudar de personagem e assumir o papel de Coitadinho, fazendo promessas do tipo "Não me deixe. Eu não vou fazer mais isso". Você vai ter de descobrir se a intenção é verdadeira ou se é apenas um disfarce para o medo. As pessoas são capazes de mudar. Mas, na verdade, a maioria só muda quando a situação fica insustentável. E você não precisa necessariamente ficar por perto esperando para ver.

Se você se descobrir desempenhando o papel de Intimidador, procure a ajuda de alguém para entender melhor essa atitude. Com freqüência, a solução está em tratar a si e aos outros com mais carinho. Busque outro meio de lidar com a sua raiva. Repita várias vezes o seguinte exercício: visualize-se em uma situação de medo e raiva e veja de que forma é capaz de expressar seus sentimentos com calma e honestidade. Responsabilize-se pela situação. Convença-se de que o jogo de intimidação é coisa do passado e que ninguém quer atacar nem ferir você.

Caso perceba que alguém provoca em você uma reação especialmente negativa, repita muitas vezes o exercício de se visualizar junto a essa pessoa sem praticarem o antigo jogo. Esforce-se para manter seu equilíbrio e paz interior quando estiver com outras pessoas.

Com relação a esses dramas de controle, gostaria de lembrar que eles não passam de estratégias inconscientes que utilizamos para dominar os outros, conquistando a atenção e o sentimento de importância que nos vêm quando nos sentimos o foco de sua energia. Mas é uma satisfação falsa e passageira. A maioria das pessoas está investindo o melhor que pode para sobreviver e cuidar dos seus próprios assuntos. Tentar usar os outros para resolver os nossos problemas de auto-estima não beneficia ninguém.

Para chegar a um estado de alegria temos de buscar a energia dentro de nós. Não é preciso tomar nada de ninguém. O que precisamos fazer é investir para manter o equilíbrio e buscar o máximo de respeito e autenticidade no relacionamento.

Isso exige compaixão e maturidade emocional. Não é fácil manter uma atmosfera de amor quando a outra pessoa está fazendo um jogo. É preciso muito trabalho interior para entender que ela traz consigo uma história de sofrimento e medo.

Como disse Platão: "Sem pensar na vida, não vale a pena viver." Examine cuidadosamente as suas atitudes e reações. Quando age de acordo com a sua fonte de paz e força interior, você consegue a genuína comunicação, gera respeito e atrai pessoas que desejam ligar-se a você.

Meditação

A finalidade desta meditação é ajudar você a se comunicar melhor.

Durante a meditação, você vai fazer um exercício mental em que escolhe uma pessoa com quem teve ou tem problemas de comunicação e vai procurar descobrir onde ocorreu a falha. Depois disso a meditação estimula você a mudar o que for preciso para melhorar a sua comunicação de um modo geral e com aquela pessoa especialmente.

Comece procurando uma posição confortável...

Mexa o corpo devagar, para ajudá-lo a relaxar...

Deixe as preocupações se dissiparem...

Lembre-se que daqui a quinze minutos você vai poder voltar às suas tarefas...

Respire profundamente algumas vezes para que seu corpo relaxe ainda mais...

Prepare-se por mais dez segundos...

Agora imagine-se em meio à natureza em um belo dia de primavera...

Onde é que você está? Em um parque, no campo, ou em um jardim florido?...

Como é o ambiente em volta?...

Encontre um lugar para descansar...

Fique por alguns momentos ouvindo os sons da natureza e sentindo o frescor da brisa...

Enquanto estiver usufruindo toda essa beleza, comece a pensar: você acha que sabe ouvir?...

Você geralmente deixa as pessoas acabarem de falar?... Ou as interrompe para contar suas próprias histórias ou fazer um julgamento?...

Você consegue ouvir com atenção suficiente para entender mais profundamente qual é a mensagem que a pessoa quer transmitir?...

Você consegue se lembrar de alguma vez em que tenha escutado alguém com total atenção?...

Você conseguiu avaliar como isso foi importante para essa pessoa?...

Houve alguma vez em que alguém ouviu o que você dizia com muita atenção?...

Você acha que isso teve influência na sua capacidade de se abrir e de se comunicar?...

Essa conversa trouxe novas idéias e percepções a você ou à outra pessoa?... Fez vocês compreenderem melhor o que estava se passando?...

Pense nas pessoas com quem você se relaciona e se comunica bem...

O que é que faz a comunicação fluir naturalmente?...

Agora pense em uma pessoa que faça parte da sua vida e com quem você tenha dificuldade de se comunicar. Escolha alguém com quem você queira se comunicar melhor...

Qual é a dificuldade que você encontra para se comunicar com essa pessoa?...

Você acha que a causa do desentendimento é a diferença de valores, de pontos de vista sobre a vida ou a divergência sobre o modo como alguma coisa deve ser feita?... Vocês competem entre si?

Você acha que você e ela têm pontos de vista diferentes por causa das marcas que as histórias pessoais deixaram em cada uma? Ou trata-se apenas de opiniões opostas?...

Como você se sente quando está perto dessa pessoa?...

Qual é sua linguagem corporal quando estão juntas?...

Você fecha o rosto? Sua expressão fica tensa? Cruza os braços?...

E como é o seu tom de voz?...

Qual é o papel que cada uma assume quando vocês se encontram?...

A outra pessoa faz o papel de vítima? Ela parece distante? Assume um ar vitorioso? Interrogador? Dona da verdade? Ela lembra alguma figura de autoridade que intimidou você na infância?...

E você, qual é o papel que assume?...

O que seria preciso para que vocês se entendessem melhor?...

Se você mudasse a sua linguagem corporal, isso facilitaria a comunicação?...

E o tom de voz? Você poderia falar num tom mais calmo, menos agressivo? Poderia expressar sua verdade sem impô-la?...

E quanto a ouvir? Se a outra pessoa percebesse que você escuta com atenção, sem julgamentos, acolhendo o que ela diz, a conversa fluiria melhor?...

E se você notasse que a outra pessoa ouve da mesma forma?...

Você consegue encontrar um meio de respeitar os pontos de vista dessa pessoa?... De procurar entendê-los?...

Para ajudar na comunicação, seria capaz de, durante a conversa, usar alguns dos termos ou expressões que essa pessoa costuma empregar?...

O que mais poderia contribuir para facilitar a comunicação?...

Imagine que, por um momento, vocês conseguissem se entender. O que você sentiria?...

Se durante a conversa você perceber que vai reproduzir sua antiga forma de agir, o que faria para evitar?...

Talvez fosse bom respirar fundo, ouvir com mais atenção ou contar até dez antes de falar alguma coisa...

Ou então fazer perguntas que ajudassem a esclarecer o que a pessoa está dizendo... Você acha que isso poderia ajudar?...

Visualize-se mudando de atitude e a conversa entre vocês duas fluindo suavemente...

Continue a imaginar uma conversa bem tranqüila com essa pessoa...

Como é que você se sentiria se conseguisse uma interação positiva com ela?...

Que efeito isso teria sobre a sua vida?...

Antes de terminarmos a meditação, pense mais um pouco na conversa bem tranqüila que poderá ter com essa pessoa...

Quando achar que é hora de terminar a meditação, traga para o presente esta última imagem...

Comece a se mexer devagar, acorde o seu corpo delicadamente...

Espreguice...

E tome consciência do ambiente em volta.

Nas próximas semanas, concentre-se em melhorar os relacionamentos que acha mais difíceis. Forme uma imagem clara de como a conversa poderia fluir melhor. E procure encontrar um meio de romper a antiga maneira de agir com essas pessoas.

Escolha uma pessoa de cada vez e concentre-se nela. Quando se sentir em condições de estabelecer uma comunicação verdadeira com a pessoa que escolheu, teste os resultados. Se não funcionar tão bem quanto você esperava, tente de novo. Se desejar sinceramente melhorar a comunicação com essa pessoa, você vai se alegrar com os resultados, mesmo que não sejam os ideais. Haverá certamente uma melhora que tornará sua vida e a da outra pessoa muito mais felizes.

CAPÍTULO CINCO

Encontrando a Paz Interior

De todos os elementos necessários para criar uma vida de alegria, o mais importante é a paz interior. Sentimos essa paz quando conseguimos o controle da mente e a compreensão de que, na vida, somos parte de um projeto maior.

Embora, às vezes, achemos difícil, cada um de nós é capaz de desenvolver uma sensação de paz. Alguns encontram a paz através de religiões tradicionais e de momentos de prece e meditação. Outros a descobrem ao fazer atividades ao ar livre, como jogar golfe, velejar ou caminhar pela natureza. E há ainda os que usam a disciplina do tai-chi, a dança ou a arte.

Não importa o meio utilizado. A sensação de alegria de viver se enriquece com qualquer experiência que acalme a mente e nos mostre que fazemos parte de um plano mais amplo. Depois de viver uma experiência assim, sentimos uma paz interior de que não queremos abrir mão nunca mais. Manter essa paz é a parte mais difícil. Uma coisa é sentir a paz em meio à calma da natureza. Manter esse estado frente aos desafios da vida diária é completamente diferente. Mas eu acredito que existem hábitos e métodos que podemos adquirir para isso. Eles são nossos aliados na manutenção, no cuidado e na recuperação do estado de paz.

Diálogo Interno

Durante o dia, milhares de pensamentos passam pela nossa cabeça. Pensamos no trabalho, nas pessoas que amamos, no que vamos comer, no filme a que vamos assistir. E ainda nos preocupamos com fatos e pessoas. Muitas dessas preocupações são tão intensas, que nos tiram, por momentos, a alegria e a paz interior.

Um modo de acalmar essas preocupações é observar e modificar o nosso diálogo interno. O que dizemos a nós mesmos tem um profundo efeito sobre a nossa sensação de paz, mais até do que aquilo que os outros nos dizem. Pergunte a um superatleta ou a um profissional bem-sucedido e eles vão dizer que seu êxito está ligado ao modo como se vêem e como falam consigo mesmos.

Quando concentramos intensamente os nossos pensamentos no que saiu errado ou pode não dar certo, a esperança se enfraquece e somos tomados pela dúvida. Nosso diálogo interno fica mais pobre com afirmações do tipo "Não vou conseguir resolver isso nunca", "Não sei o que fazer" ou, pior ainda, "Esse problema não tem solução". Afirmações como essas provocam uma sensação de frustração e desânimo e nos fazem repetir sempre os mesmos e inúteis padrões de comportamento.

A mudança no diálogo interno provoca uma mudança de comportamento. Quando dizemos palavras encorajadoras para nós mesmos, alguma coisa mágica acontece. Começamos a nos sentir melhor e recuperamos a disposição para perseguir os nossos objetivos e viver novas experiências. Somos mais tolerantes com os nossos erros e mais gentis com os outros.

Para mudar o diálogo interno, basta seguir um roteiro simples, mas é preciso praticar. O primeiro passo é identificar a forma como você fala consigo mesmo. Observe-se atentamente por algum tempo e talvez você se surpreenda. Provavelmente não admitiria que alguém lhe dissesse palavras tão cruéis e agressivas como as que você diz para si. É que não nos damos conta da torrente de críticas que fazemos ao nosso comportamento quando passamos por situações de medo e incerteza.

Observe durante algum tempo o jeito como você fala consigo. Se for preciso, faça um diário. Preste atenção ao seu modo de começar o dia. Veja como descreve o que acontece. Ouça o que diz quando comete um erro. Você costuma pensar: "Não é possível, não acredito que eu tenha feito uma tal bobagem", ou você diz: "Bem, o melhor que tenho a fazer é aprender a lição para não errar de novo"?

É também importante observar como você se define. Talvez não se considere uma pessoa organizada. Talvez diga para si: "Sou uma pessoa desorganizada. Meu pai não era organizado, meu avô também não." Agora pense em como um rótulo desses afeta o seu entusiasmo e prejudica a sua luta pelos seus objetivos. Pode ser que você ainda não saiba planejar bem, mas, carregando esse rótulo, não vai ter estímulo para tentar melhorar. E se conseguir algum progresso, nem vai notar.

O passo seguinte é: sempre que se pegar em um diálogo negativo, mude. Quando começar a se criticar, transforme imediatamente as suas palavras em expressões positivas. Admita tranqüilamente os seus erros e encontre maneiras de se corrigir. Anime-se e torne-se seu maior colaborador e incentivador. Cada vez que você muda o diálogo, a sua auto-estima cresce. E cresce também a sua disposição em fazer uma segunda tentativa, procurando acertar o que não conseguiu da primeira vez.

Também é muito importante modificar a sua maneira de descrever os contatos que teve com outras pessoas. Digamos que você tenha se aborrecido com um colega de trabalho ou um parente. Se disser "Ele me desrespeitou", vai estar incentivando sentimentos negativos. Se, no entanto, pensar "Ele deve estar passando por um momento muito difícil para me tratar daquele jeito", vai se sentir muito melhor.

Novamente a mudança no diálogo interno modifica a nossa visão da situação. Quando damos mais ênfase ao lado doloroso do relacionamento interpessoal nos sentimos como vítimas indefesas, incapazes de qualquer atitude para mudar a situação. Quando, ao contrário, acreditamos que a outra pessoa apenas foi rude porque estava em um mau dia, e que não era nada pessoal, descobrimos em nós uma nova capacidade de benevolência e compreensão.

Diga Não às Preocupações

Outra maneira de mantermos a paz interior é parar de

nos preocuparmos com aquilo que não podemos mudar ou controlar. Gostaríamos de poder mudar o passado. Gostaríamos de poder mudar o comportamento de outras pessoas. Gostaríamos de poder mudar as condições do tempo. Mesmo quando sabemos que estamos diante de uma situação irreversível, continuamos tentando e pensando no assunto obsessivamente.

Uma forma de começar a romper esse hábito é anotar todas as preocupações que nos vierem à cabeça, depois analisar a lista vendo o que pode ser mudado e o que não pode. E tomar a decisão de agir no que for possível e encontrar um modo de conviver com o resto.

Quase todos nos preocupamos com o que ainda vai acontecer: "Será que as pessoas vão gostar de mim?", "Será que vou conseguir aprovação no exame?" ou "Será que eu conseguirei suportar a dor de perder uma pessoa querida?". Muitas vezes ficamos apavorados, com o pensamento voltado para o que pode dar errado em vez de visualizar as situações se resolvendo do jeito que queremos. E o interessante é que, na maioria das vezes, a situação não é tão grave quanto se pensa. Lembre-se das muitas vezes em que sofreu por antecipação e, quando chegou a hora, foi mais fácil do que você imaginava ou, então, conseguiu resolver o problema tranqüilamente.

Outra fonte de aborrecimento é a preocupação excessiva com os problemas dos outros. Geralmente nos preocupamos com aqueles a quem amamos porque queremos evitar que sofram. Às vezes deixamos a nossa vida de lado para ir em socorro deles, mesmo quando não querem se ajudar. Se não tomarmos cuidado, vamos perder tempo e energia. Como acontece com todos nós, as pessoas que amamos são, em última análise, responsáveis por elas mesmas. Se formos protetores ou controladores demais, podemos estar lhes negando importantes oportunidades de resolverem seus próprios problemas e se fortalecerem para enfrentar os próximos desafios que a vida apresentar.

Isso não quer dizer que vamos deixar de apoiar, sugerir, explicar, aconselhar. Mas o excesso de proteção e de cuidados impede o outro de usar sua própria energia para superar suas dificuldades e desenvolver a confiança e a auto-estima de que precisa.

O excesso de preocupação com os outros pode fazer mal à saúde. Vou explicar melhor. Uma amiga me contou sobre um homem que conheceu em um seminário de fim de semana para um pequeno grupo de terapeutas. Seu nome era Paul e tinha aprendido a duras penas o alto preço que se paga pelo excesso de preocupação com os outros.

Segundo a minha amiga, Paul contribuiu bastante para o sucesso do seminário. Participou ativamente dos exercícios de grupo e fez vários comentários que levaram a importantes conclusões. Mas a minha amiga notou que Paul sempre se afastava durante os intervalos das refeições em vez de se juntar aos outros participantes. Isso foi para ela uma surpresa, já que ele fazia questão de se integrar ao grupo durante as reuniões.

Na hora do jantar, vendo Paul sentado no banco de um

parque do outro lado da rua, ela decidiu ir até lá e puxar conversa. Com jeito, perguntou por que ele nunca fazia as refeições junto do grupo. Paul disse que, ficando sozinho, lendo sobre o que tinha acabado de aprender, evitava se envolver demais com os outros e com seus problemas. Contou que, no passado, tentava cuidar de todas as pessoas que conhecia e como isso era desgastante. Como se sensibilizava com o sofrimento alheio, escutava queixas e dava conselhos. Mas os que o procuravam pareciam mais interessados em reclamar da situação do que em agir para mudá-la. Paul ficava frustrado e muitas vezes passava a controlar a vida dessas pessoas. Na verdade, queria que fossem felizes e achava que sabia melhor do que elas como conseguir isso.

Ele explicou para a minha amiga que seu comportamento mudou subitamente quando soube que tinha uma doença grave e, provavelmente, viveria apenas mais alguns meses. Consciente de que dispunha de pouco tempo e energia, Paul concentrou-se em ficar bom. E descobriu que, enquanto estava ocupado cuidando de si, os outros cuidavam melhor deles mesmos. Os amigos e a família deixaram de esperar que ele resolvesse os problemas de todos e partiram para encontrar suas próprias soluções.

Às vezes, as pessoas a quem amava passavam por situações difíceis em conseqüência de suas próprias decisões, mas ele não se sentia mais responsável por isso. Aprendeu a entregar os problemas a um poder superior, na certeza de que se resolveriam, numa perspectiva mais alta, da maneira melhor para todos. Como resultado, começou a sentir-se mais leve e a se divertir mais. E curou-se da doença.

A experiência vivida por Paul fez com que ele tomasse a decisão de se aproximar das pessoas em situações que considerava saudáveis. Quando percebia que estava começando a se inquietar demais por causa de alguém, reagia estabelecendo seus próprios limites e respeitando os limites alheios.

Assim como Paul, temos que encontrar um meio de refrear nossos impulsos de querer controlar e resolver tudo. Uma boa sugestão é fazer como Paul e entregar a um poder superior aquilo que não temos como solucionar. Podemos mesmo rezar a Prece da Serenidade, uma oração adotada pelos Alcoólicos Anônimos, escrita por Reinhold Niebuhr. A parte mais conhecida diz: "Senhor, dai-me serenidade para aceitar o que não posso mudar, coragem para mudar o que posso e sabedoria para perceber a diferença."

Se algum dia as velhas preocupações voltarem a martelar a sua cabeça, procure uma distração saudável: jogue bola, assista a um filme divertido, ouça música, vá passear no *shopping* ou telefone para uma amiga. Desviar a atenção de suas preocupações vai interromper seu fluxo e contribuir para que você passe a ver as situações por uma nova perspectiva.

É indispensável aprendermos a romper os nossos ciclos de preocupação. Se não fizermos isso, vamos ficar presos ao que nos assusta em vez de direcionar as energias para as nossas metas positivas.

Aqui vão mais algumas sugestões para ajudar você a romper os ciclos de preocupação:

- Quando a sua mente estiver agitada, respire fundo algumas vezes, sinta seus pés e concentre-se no momento presente.
- Observe cuidadosamente a sua dieta e verifique se a sua ansiedade aumenta depois de ingerir certos alimentos, como trigo, laticínios, nozes ou açúcar. É possível que uma reação alérgica ou a intolerância a esses produtos agrave a sua sensação de preocupação.
- Não se sinta na obrigação de resolver todos os problemas do mundo. Se você se deixa impressionar excessivamente pela negatividade que vê na televisão ou lê nos jornais, não vai conseguir ajudar nem a você e nem aos outros. Escolha uma causa e dedique-se somente a ela. Acredite que outras pessoas vão ouvir o chamado e abraçar causas para as quais você não tem tempo.
- Selecione as pessoas com quem convive. Se notar que a proximidade de certas pessoas provoca em você cansaço ou inquietação, procure limitar o tempo que passa com elas pelo menos até estar menos sensível ao medo e à negatividade que carregam.

Encerrando Questões Mal Resolvidas

Todos nós temos assuntos mal resolvidos, resultado de conflitos antigos com outras pessoas. Às vezes, eles se arrastam por anos. Se não encontrarmos um meio de resolver essas questões de uma vez por todas, podemos ser inconscientemente afetados por elas, que vão minando as nossas tentativas de alcançar uma sensação duradoura de paz.

Já lhe aconteceu de estar vivendo um dia como outro qualquer e, de repente, se lembrar de um desentendimento do passado? Lembrar até mesmo do que a outra pessoa disse e da resposta que gostaria de ter dado? Tão desconcertante quanto essa lembrança é reencontrar a pessoa e perceber que não consegue ser amável, agir com franqueza e espontaneidade. O ressentimento não deixa. E você acaba decidindo evitar essa pessoa.

Situações assim nos roubam a paz e a alegria que tínhamos alcançado. Mesmo que você nunca mais veja a pessoa, o conflito mal resolvido pode vir à tona e interferir em novos relacionamentos. Talvez você tenha medo de repetir um padrão negativo de comportamento e se feche, reprimindo a sua espontaneidade para evitar que aconteça tudo de novo. Velhos ressentimentos e desavenças parecem grudar em nós e continuam a incomodar.

O que fazer em relação a essas questões que se arrastam? A resposta está na antiga prática do perdão. Todas as religiões concordam em que existe alguma coisa milagrosa no processo de perdoar. O ato de perdoar purifica de um modo inexplicável. Quando nos perdoamos e aos outros, vivemos uma visível e genuína transformação.

O primeiro passo é tomar consciência de qualquer conflito passado e começar o processo perdoando a si mesmo. Afaste a tentação de ficar relembrando o que você poderia ter dito na época para resolver o conflito. Sem acusar ninguém, nem a você mesmo, pense em como teria lidado com a situação se soubesse tudo o que agora sabe. Pense que hoje você é uma pessoa diferente. Reconheça e aceite os seus erros do passado. Livre-se desse fardo. Todos somos espíritos em crescimento, e cometer erros faz parte da nossa aprendizagem. O importante é reconhecer nossa parcela de responsabilidade no conflito e nos desapegarmos dele.

O mesmo se aplica quando se trata de perdoar os outros. Reveja a situação e pense como gostaria que tivesse acontecido. Procure entender o ponto de vista do outro. Isso vai fazer você descobrir o motivo do comportamento dele e permitir que lhe conceda o benefício da dúvida. Ele – ou ela – provavelmente fez o melhor que podia com o conhecimento que tinha então. Talvez até já tenha se arrependido e não saiba como dizer isso a você.

O passo seguinte é buscar um meio de se comunicar com a outra pessoa para que possam esclarecer e reparar o desentendimento. Pode ser por telefone, pessoalmente ou por carta. Quase todo mundo concorda em que essa é a parte mais difícil, mas certamente é a mais importante no processo de cura. Lembre-se: a finalidade de resolver um antigo conflito não é reatar o relacionamento, embora isso possa vir a acontecer. É apenas apaziguar.

É importante observar seus sentimentos e motivações.

Digamos, por exemplo, que você queira esclarecer um relacionamento que terminou mal e decida escrever uma carta. Você se senta e começa a escrever. Diz que preferia que tudo tivesse terminado de modo diferente e do quanto a pessoa foi importante. De repente, os velhos ressentimentos vêm à tona e você não consegue mais escrever nada de positivo. Meu conselho é que continue a escrever. Ponha todos os seus pensamentos no papel e guarde a carta.

Mais tarde, comece outra carta e veja se consegue escrever sem raiva nem acusações. Vá escrevendo cartas e deixando-as de lado até conseguir produzir uma que seja gentil e objetiva. Então decida se vai enviar ou não. O esclarecimento talvez fosse mais importante para você do que para a outra pessoa. Ou você pode considerar indispensável que ela leia a carta, para que se complete o processo do perdão. Escute o seu guia interior e descubra o que é melhor para você.

Lembre-se de que cada pessoa vai responder de maneira diferente às suas tentativas de reparação. Algumas vão acolhê-las até com alegria. Outras podem não estar prontas ainda para esquecer o que aconteceu. De todo modo, o mais importante é que você se esforce por se livrar do peso do passado.

Mas ter esse gesto de perdão não significa que você tenha que reatar o relacionamento. Algumas pessoas talvez queiram mais do que você tem condições de dar. Se decidir se afastar, afaste-se sem culpa. Por outro lado, alguns relacionamentos podem renascer depois da reparação do desentendimento, tornando-se incrivelmente mais intensos. Isso acontece principalmente quando pais e filhos ou irmãos se reaproximam.

Mas o que fazer se o desentendimento foi com alguém que agora está morto? Ou se perdemos totalmente o contato com a pessoa? Na minha opinião, o processo de perdão é igualmente importante. Você pode seguir as mesmas etapas, escrever uma carta e depois queimar, como um gesto de encerramento, de despedida. Ou pode se imaginar diante dela, falar das suas mágoas e dar-lhe a sua bênção. Ainda que não acredite que seus pensamentos alcançarão a pessoa onde quer que ela esteja, acho que o perdão vai deixar em você uma sensação de leveza e paz.

A Conexão com o Sagrado

As atividades que acabamos de descrever nos deixam em conexão com a mais importante fonte de paz interior: o sagrado. Não estou apenas me referindo às nossas crenças religiosas, mas também a um sentido do divino que é transcendente e nos assegura que existe um plano maior para a vida.

Esse tipo de compreensão significa superar os aspectos materiais da nossa existência. Podemos passar férias maravilhosas, ter a casa ideal, o carro perfeito, fama e prestígio social e, ainda assim, persistir aquele vazio por dentro. E, de repente, nos pegamos pensando: "Mas é só isso?"

Enquanto não descobrirmos a nossa verdadeira conexão com o sagrado, vamos continuar tentando preencher o vazio interior buscando os mais modernos brinquedos eletrônicos, o parceiro perfeito, o esporte mais estimulante, o consumismo compulsivo. Podemos até tentar curar a sensação de vazio com a comida, a Internet ou os estimulantes artificiais. Ou sair em busca de mais diversão. É claro que não existe nada de basicamente errado com nenhuma dessas atividades. Já vimos que podem ser um meio de escaparmos por algum tempo das preocupações e aborrecimentos, devolvendo nossa tranqüilidade. Mas, se as usamos procurando encontrar nelas o sentido da vida, acabamos transformando-as em obsessões, vícios e comportamentos autodestrutivos. Sobretudo, elas não são capazes de satisfazer o anseio que trazemos na alma por uma conexão com uma fonte sagrada que transcende o mundo. Os textos sobre espiritualidade nos estimulam a tomar consciência de que essa conexão tem que ser mais que uma crença. Tem que ser experimentada e vivida.

O primeiro passo para a conexão é a intenção. Temos que tomar a decisão de perseguir essa experiência. Temos que bater para que a porta se abra. Temos que procurar ativamente para experimentar por nós mesmos o que os grandes místicos sempre afirmaram: Deus está em todas as coisas e tudo que nos rodeia reflete um projeto maior. Nossas vidas e o que nos acontece fazem parte deste projeto. Quando entendemos isso, vivemos mais profundamente: as cores, as pessoas, as obras de arte, a paisagem se destacam e ficam mais belas. Tudo que nos parecia natural passa a sobressair quando sentimos sua dimensão divina.

Essa experiência muda a visão de quem somos, mostrando que somos muito mais do que antes pensávamos. Sentimos mais clareza e segurança quanto ao que dizer e fazer. As idéias vêm mais facilmente. Começamos a ter percepções e intuições que parecem ser uma sabedoria interior. Vamos nos tornando mais amorosos, pacíficos e felizes. A energia e a paz de Deus enxergam através de nossos olhos.

No início deste capítulo, afirmei que a conexão com o sagrado pode acontecer em qualquer circunstância – seja pela prece, meditação ou participação em uma cerimônia religiosa. Também pode acontecer durante uma caminhada em meio à natureza, uma dança, a prática de artes marciais ou através de um sorriso de criança ou da conversa com um grupo de amigos acolhedores. Mais uma vez: desejar viver essa experiência pode levar-nos a ela.

Quando atingimos a conexão com Deus temos a sensação de estar chegando em casa. Desaparece aquela sensação de isolamento em um universo indiferente e sem sentido. Surge em seu lugar a paz verdadeira que nasce da certeza de que alguém nos ama e nos guia.

Qual o melhor modo de se preparar para essa experiência? Primeiro, é preciso arranjar tempo. Organize a sua programação de modo que os horários não sejam todos ocupados. Reserve tempo para caminhar, meditar ou simplesmente acordar de manhã e se deixar ficar, sem planos, esperando para ver o que acontece. Passe algum tempo pensando no plano mais amplo. A vida é curta e preciosa. Todos nós nascemos, damos a nossa contribuição para o mundo e partimos, cedendo lugar a uma nova geração. Tome consciência desse grande plano e do papel que você desempenha nele.

Quando você aprende a se conectar com o sentido do sagrado, a sua capacidade de alcançar a paz cresce e se aprofunda de uma forma que você nunca imaginou. A princípio, essa consciência do sagrado parece ir e vir, mas com a prática vai evoluindo, tornando cada vez mais duradouro o estado de paz. Cada vez que, durante o processo, os aborrecimentos e as preocupações tentarem desviar a sua atenção, faça uma pausa e recorra à sua experiência do sagrado.

Meditação

Esta meditação tem a finalidade de contribuir para a sua paz interior, reparando o passado e fazendo você entrar em conexão com uma fonte sagrada.

Durante a meditação você vai fazer uma viagem mental até um local que considere sagrado. Pode ser um templo, um recanto da natureza ou um lugar especial onde costumava ir quando criança. Talvez seja melhor escolher o local antes de começar.

Assim como fez nas outras meditações, procure um lugar calmo, onde não haja interrupções. Deixe caneta e papel por perto para anotar os pensamentos que lhe vierem à mente.

Para começar a meditação, tenha um momento de quietude e calma...

Agora mexa o corpo devagar, para ajudar a relaxar...

Respire quatro vezes, lenta e profundamente...

Deixe que seu corpo relaxe e sua mente se acalme...

Espere mais alguns instantes antes de continuar...

Agora vamos começar a nossa viagem mental. Visualize-se em frente a um grande portão...

Repare na cor do portão...

Passe a mão no portão e veja de que material é feito...

Abra o portão e olhe o caminho à sua frente...

Comece a percorrer o caminho observando as redondezas...

As curvas desse caminho levam a um lugar especial...

Você sabe que é um lugar absolutamente seguro e sagrado. É o seu lugar especial...

Observe esse lugar. Está no meio da natureza ou é uma bela casa?... Como ele é?

Você já esteve nesse lugar ou ainda não o conhece?...

Repare nos detalhes... nas cores...

Escute os sons...

Agora procure um recanto confortável onde você possa descansar...

Usufrua a paz desse lugar...

Por que esse lugar é tão especial e sagrado para você?...

Como se sente nele?...

Respire profundamente na paz desse lugar...

Por um momento desprenda-se da visão do seu dia-a-dia. Expanda a sua consciência para sentir que você faz parte de um plano maior, muito mais importante do que as suas preocupações cotidianas...

Pense que a sua vida é guiada por uma fonte espiritual...

Sinta-se em paz com essa idéia...

Vamos aproveitar essa sensação de paz em que você está para ajudar a resolver os problemas que está enfrentando na vida.

Pense em uma situação atual que às vezes lhe tira a paz...

Talvez você esteja se preocupando com situações que não pode mudar ou controlar...

Ou, quem sabe, você está pensando demais no que pode acontecer no futuro...

Como é que você lida com esse problema atualmente?...

Quando pensa nele, o que sente?...

Que mudanças você poderia fazer no seu diálogo interior para lidar com esse problema com mais confiança?...

Seria bom procurar ajuda de um profissional – terapeuta ou psicólogo?...

O que mais você poderia fazer em relação a esse problema para encontrar a paz interior?

Imagine você no futuro enfrentando o mesmo problema...

O que poderia fazer para manter o equilíbrio frente ao problema?

Sinta-se conseguindo resolver...

Agora desligue-se por um momento do problema. Tenha confiança, pois alguém vai cuidar dele...

Respire profundamente e tome de novo consciência do ambiente sagrado onde está...

Antes de prosseguir, espere um momento. Certifique-se de que continua se sentindo em paz... Se for necessário, respire profundamente mais algumas vezes, mandando o ar para os lugares do seu corpo onde há alguma tensão...

Agora pense em um relacionamento do passado que não tenha terminado bem ou tenha sido prejudicado por desentendimentos....

Escolha um relacionamento que você queira resolver agora...

Quem é a pessoa? Qual o motivo do conflito?...

De que forma os problemas desse relacionamento atingiram e perturbaram você?...

Resolver esse problema lhe daria um grande alívio?... Faria com que você parasse de se preocupar?...

Se a outra pessoa estivesse agora à sua frente, o que você poderia dizer para que tanto você quanto ela se sentissem melhor? Pense bem, com calma, antes de responder...

Existe alguma coisa que você gostaria de ouvir dessa outra pessoa?...

Você quer dizer mais alguma coisa a ela?...

Sinta-se conversando tranqüilamente e vendo a outra pessoa aceitar as suas palavras de aproximação...

Agora imagine que vocês se reconciliaram. Você se sente mais livre?...

Daí por diante, seus pensamentos em relação a essa pessoa vão ser mais positivos?...

Por enquanto, entregue essa questão a um poder superior. Acredite que quando chegar a hora certa de reconciliar-se você vai saber o que fazer...

Respire mais um pouco e então torne a concentrar sua atenção nesse lugar sagrado...

Usufrua a beleza e a paz...

Para consolidar essa sensação de paz, escolha um símbolo especial que fique para sempre ligado a essa experiência. Toda vez que pensar nesse símbolo ou o encontrar em algum lugar, você vai se lembrar de voltar ao seu estado de paz...

Qual foi o símbolo que você escolheu?...

Quando achar que é o momento, prepare-se para deixar esse lugar sagrado com a certeza de que pode voltar sempre que quiser...

Volte pelo mesmo caminho que seguiu na ida...

Veja o portão ao longe e vá em direção a ele...

Atravesse o portão e feche-o atrás de você...

Tome consciência novamente do seu corpo físico. Comece a se mexer devagar.

Nos próximos dias, esteja alerta para as idéias que surgirem. Sempre que as preocupações tomarem conta dos seus pensamentos, não esqueça que você conhece um meio rápido e saudável de manter o equilíbrio. E entregue sempre as suas preocupações a um poder superior.

CAPÍTULO SEIS

O Milagre da Sincronicidade

A vida é cheia de coincidências. De repente, tropeçamos em um novo emprego, na oportunidade de um bom negócio ou misteriosamente conhecemos alguém que vai ser nosso sócio, confidente, marido ou mulher. Sonhamos com um velho amigo e, na manhã seguinte, ele bate à nossa porta. Ou o telefone toca e, antes mesmo de atender, já sabemos quem é. Quando falamos em coincidências, quase todo mundo tem uma história para contar: de quando tomou uma decisão – comprar um carro novo ou mudar de emprego, por exemplo – e logo depois conheceu alguém ou recebeu uma informação que transformou o sonho em realidade.

Vamos ver, por exemplo, a história contada por Wayne Dyer em seu livro *You'll See It When You Believe It* (Você verá quando acreditar). É uma situação incrível vivida por ele. Wayne passou um bom tempo à procura do pai, que tinha abandonado a família quando ele era ainda bem pequeno. Um dia, recebeu um telefonema de um parente distante informando que seu pai tinha morrido seis anos antes e estava enterrado em Biloxi, Mississippi. Quatro anos depois desse telefonema, Wayne viajou a negócios para uma cidade do Mississippi, a trezentos quilômetros de Biloxi. Decidiu, então, alugar um carro e ir visitar o túmulo do pai.

O carro era novinho, alugado pela primeira vez. Os cintos de segurança ainda estavam presos embaixo do assento. Para alcançar o cinto, ele teve de tirar o assento e rasgar a proteção de plástico. Ao abrir a fivela que prendia o cinto, encontrou um cartão que dizia: "Candlelight Inn, Biloxi, Mississippi" com o endereço, telefone e, no verso, as indicações de como chegar ao local. Sem saber bem por que, Wayne guardou o cartão no bolso da camisa e iniciou a viagem.

Chegando a Biloxi, parou em um posto de gasolina para procurar no catálogo o número de telefone dos cemitérios locais. Como não sabia em qual dos cemitérios o pai estava enterrado, ligou para um dos dois que havia na cidade, tentando obter alguma informação. Quem atendeu foi um senhor que confirmou: o pai de Wayne estava sepultado lá. E, sem esperar mais alguma pergunta, continuou: "O túmulo é próximo aos jardins de Candlelight Inn. Peça a alguém aí para lhe ensinar como se chega lá."

Incrivelmente surpreso, meteu a mão no bolso e tirou o cartão. Não precisava perguntar a ninguém. Pelas indicações no verso do cartão percebeu que estava a apenas três quarteirões do cemitério.

Essas coincidências, que acontecem freqüentemente a todos nós, já foram documentadas por muitos cientistas, inclusive por Carl Jung, reconhecido desde o início do século XX por suas importantes contribuições à psicologia.

Jung chamou esse fenômeno, que definiu como coincidências propositais, de "sincronicidade". Baseado em suas experiências individuais e nos relatos de seus clientes, chegou à conclusão de que existe no universo um princípio ou força condutora que nos guia em direção a um determinado destino. A maioria chama essa força de Deus. Jung também afirmou que essa força está presente na vida de todos nós. Só temos que procurar essa força, estar abertos para o sagrado e começar a aproveitar as oportunidades que surgem.

Intuição

Como acontecem essas situações de sincronicidade? Muitas vezes, começam com um pensamento, uma intuição ou o sentimento de que devemos fazer alguma coisa ou ir a algum lugar. Por exemplo: você está a caminho do trabalho, com uma longa lista de compromissos e, de repente, tem vontade de parar em uma livraria. Sua mente racional logo afasta a idéia, considerando-a pura perda de um tempo valioso e lembrando das obrigações. Mas, ainda assim, você decide seguir o impulso e entrar na livraria, e lá conhece alguém ou encontra um livro que soluciona um problema de trabalho que estava lhe dando tanta preocupação. Nesse caso, a coincidência que fez encontrar uma solução muito desejada foi o resultado de obedecer a uma intuição.

É assim que costumam acontecer as situações de sincronicidade. Temos uma intuição e, ao seguir o que ela nos diz, vivemos uma experiência que torna a nossa vida melhor ou nos leva para uma nova direção. Por isso, ao tomar uma decisão, é bom acrescentar a intuição à lógica. Em vez de confiar apenas na lógica e seguir estritamente o planejamento, precisamos ouvir as idéias que, de repente, nos vêm à mente.

Aqui vai um exemplo de como a intuição de um homem mudou a vida dele e de outras pessoas. O nome do homem é Greg O'Leary, e sua história está no livro *Pequenos Milagres*, de Yitta Halberstam e Judith Leventhal.

Uma noite, andando a pé a caminho de casa, Greg teve vontade de tomar um caminho completamente diferente do habitual. Enquanto caminhava, ouviu ruídos vindos de uma moita de arbustos um pouco afastada da calçada. Parecia uma luta, com gritos abafados e roupas se rasgando – provavelmente uma mulher estava sendo atacada. Por alguns segundos ele ficou em dúvida entre interferir imediatamente ou chamar a polícia. Embora não se considerasse especialmente forte ou corajoso, decidiu correr o risco e ir em socorro da mulher. Correu até as árvores e se atracou com o homem. O agressor ainda resistiu por alguns instantes, mas acabou fugindo.

Na escuridão, Greg viu apenas a silhueta de uma jovem abaixada atrás de uma árvore, soluçando. Para tranqüilizar a moça, ele disse:

– Pronto, ele já foi. Está tudo bem agora.

Depois de um longo silêncio, a jovem perguntou:

– Pai... É você?

Quando ela saiu de trás da árvore, Greg viu que era sua filha caçula, Katherine.

Seguir uma intuição pode não apenas salvar vidas, mas ajudar na tomada de decisões importantes. Há poucos anos entrevistei Larry Kirshbaum, diretor da Warner Books, editora americana que publicou este livro. Perguntei-lhe como decidia quais livros iria publicar. Eu sabia que milhares de originais são encaminhados à editora anualmente e estava curiosa em saber como era feita a seleção. Sua resposta foi que, primeiro, seguia certos critérios para a avaliação dos trabalhos, mas, passada essa primeira fase, ele seguia principalmente sua intuição.

O uso da intuição nos negócios e na ciência não é nenhuma novidade. Alguns dos principais cérebros da nossa História seguiram a intuição para chegar a importantes descobertas e realizações. Com freqüência, médicos e enfermeiras confirmam usar a intuição ao tomar decisões sobre seus pacientes. O relato de um desses casos está no livro *Manual de Intuição Prática,* de Laura Day. Enquanto almoçava, um médico teve a sensação de que havia alguma coisa errada com a glândula tireóide de uma cliente cuja consulta estava marcada para aquela tarde. Ele anotou mentalmente essa idéia sem saber se teria algum fundamento, já que nem conhecia a cliente.

Quando ela chegou, para um exame de rotina, parecia saudável. Mesmo assim, o médico decidiu pedir uma série de exames da tireóide. Os resultados do laboratório pareceram indicar algum problema. Ele encaminhou a cliente a um especialista, que descobriu que ela apresentava um nódulo na tireóide. Felizmente, o tratamento evitou maiores complicações.

Cada Vez Mais Intuições

Quando seguimos as nossas intuições, os resultados são tão incríveis, que nos estimulam a ficarmos mais atentos e obedientes a elas. Como esses pensamentos-guia nos alcançam ainda é um mistério, mas para desenvolvê-los é preciso simplesmente prestar maior atenção aos nossos impulsos e visões do futuro. Aceitar as nossas intuições e desejar ardentemente que venham outras também ajuda.

Observando com atenção os nossos pensamentos, logo identificamos dois tipos diferentes. Os pensamentos que utilizamos para analisar e avaliar as circunstâncias da vida diária são de um tipo. É através deles que, antes de estacionar o carro, decidimos se ele vai ou não caber na vaga disponível. Isso é análise e avaliação.

A intuição é outro tipo de pensamento. Não é intencional. Ninguém "pensa" uma intuição. Acontece, simplesmente, na nossa mente. Quase sempre se refere a alguma coisa que devemos fazer ou dizer. É como uma idéia espontânea que surge do nada e aconselha uma mudança de rumo, ainda que mínima. Às vezes os pensamentos que nascem da intuição não parecem tão lógicos e estrategicamente óbvios quanto os do outro tipo, mais analíticos.

A verdadeira intuição pode nos orientar. Leva ao crescimento, ao progresso e nos encaminha para o lugar certo, na hora exata em que alguma coisa boa, talvez predestinada, vai acontecer. São pensamentos positivos, de esperança, e geralmente trazem com eles inspiração e entusiasmo.

Se analisarmos as nossas intuições vamos perceber que sempre se referem a questões de nossa vida. Se mantivermos a força das nossas conexões sagradas e observarmos atentamente começaremos a ver as nossas vidas como um livro aberto. Através dessa nova perspectiva conseguiremos perceber certas questões importantes para o que está acontecendo em nossa vida. Às vezes são questões mais gerais, como se devemos ou não continuar no emprego. Às vezes são mais específicas, como na história de Greg: "Que caminho vou seguir hoje para chegar em casa?" Em qualquer caso, o importante é especificarmos ao máximo as perguntas e ficarmos atentos às respostas. De repente, pode surgir um pensamento inspirador ou alguém que nos ajude. Ou, quem sabe?, o impulso de ir a algum lugar ou tomar certa atitude nos coloque numa posição em que uma grande coincidência aconteça.

Veja o que ocorreu comigo quando fiz a pergunta certa. Foi na primavera de 1997, quando eu dirigia de Santa Fé, no Novo México, para Sedona, no Arizona, tendo ao lado a minha amiga Jimmi.

Alugamos um carro na Hertz e estávamos viajando cerca de meia hora, quando decidimos ouvir uma fita. O texto mostrava como aquilo que acontece em nossas vidas nos dá oportunidade de crescer. O narrador dizia que muitas vezes nos encontramos diante de situações que não nos agradam ou que não entendemos, mas que são oportunidades de aprender sobre a vida e sobre nós mesmos.

Em sua lista de possíveis desafios, o narrador incluiu a ação da natureza. Assim que ele acabou de pronunciar as palavras "ação da natureza" começou uma forte ventania. O carro estremecia. Jimmi e eu vimos uma peça de sucata – uma velha porta de automóvel – voando em direção ao nosso lado direito. Quando a porta atingiu o carro, furou o pneu dianteiro direito e rachou o aro. Jimmi e eu ficamos paralisadas. Tudo acontecera tão de repente!

Imediatamente levei o carro para o acostamento e olhei para Jimmi. Sem uma palavra, explodimos numa gargalhada. Quando Jimmi recuperou o fôlego, disse: "Não posso acreditar! Ele estava falando justamente sobre coisas assim!"

Ficamos sentadas por algum tempo, agradecidas por nenhuma das duas ter sofrido nada. Foi quando vimos um carro parando a uns oitocentos metros de distância. Pensando que o motorista quisesse nos ajudar, começamos a andar em sua direção. Quando já estávamos quase na metade do caminho, ele arrancou com o carro. Não conseguíamos acreditar que ele nos abandonara. Lá estávamos as duas em pleno deserto, a quase cinqüenta quilômetros da cidade mais próxima, com o carro avariado e sem telefone celular. E o vento recomeçou, impedindo-nos de sair para buscar ajuda.

Sem saber mais o que fazer, falei bem alto: "E agora,

Deus, o que quer que eu faça?" Nesse exato momento apareceu um caminhão-reboque e parou perto de nós. De dentro dele saltou um homem com um uniforme onde se lia "Hertz". Por acaso, estava indo de Santa Fé para a filial da Hertz em Albuquerque, reconheceu o nosso carro e parou para ver se estávamos precisando de ajuda.

Tirando Proveito da Sincronicidade

As coincidências da vida podem nos presentear com oportunidades maravilhosas. Mas não basta seguir a intuição e prestar atenção às coincidências. É preciso mais. É preciso tirar proveito da sincronicidade.

Obedecendo aos nossos impulsos, chegaremos ao lugar certo na hora certa. Às vezes, o lugar certo nos permite ouvir uma conversa que nos fornece informações valiosas.

Denise Linn, em seu livro *The Secret Language of Signals* (A linguagem secreta dos sinais), conta a história de uma mulher chamada Carol. Enquanto esperava a vez na fila do supermercado, Carol ouviu por acaso a conversa de duas mulheres. Elas falavam sobre pneus de carros. As duas comentavam que, às vezes, aparecem uns "calombos" nos pneus que podem explodir na estrada e causar acidentes graves. Carol nunca se preocupara com os pneus de seu carro, nem sequer olhava para eles. Mas naquele dia, quando chegou com as compras ao estacionamento, foi verificar e encontrou em um deles um grande calombo. Dirigiu até o posto de gasolina mais próximo e, ao pedir ao empregado que desse uma olhada, descobriu a sorte que tivera: o problema era tão sério, que o pneu poderia estourar a qualquer momento.

A sincronicidade só ajudou porque Carol agiu. Se não tivesse levado a sério o que a mulher disse e tomado uma atitude talvez sofresse um terrível acidente.

Alguns tipos de sincronicidade são mais difíceis de entender. Vamos imaginar que você, de repente, sem nenhum motivo especial, tenha vontade de ir até um centro comercial para umas compras. Poderia fazer isso mais tarde, mas, por causa da intuição, resolve ir logo. Ao entrar no prédio, repara em uma pessoa que chega ao mesmo tempo que você. Mais tarde, examinando as roupas penduradas em uma loja, esbarra na mesma pessoa também escolhendo roupas. E na hora do almoço, como se não bastasse, você descobre, para sua surpresa, que escolheram o mesmo restaurante.

É claro que está ocorrendo algum tipo de sincronicidade. Mas e daí? Com esse exemplo, podemos ver que seguir a intuição e notar uma misteriosa coincidência não é suficiente. Você tem que decifrar a mensagem. Nesse caso, uma boa idéia seria encontrar um jeito de puxar conversa e ouvir o que a outra pessoa tinha a dizer. Você não sabe o que pode acontecer. Talvez tenha ligação com um assunto que você esteja tentando resolver ou com algum outro aspecto da vida em que está precisando de ajuda. O importante é aproveitar a oportunidade e se comunicar.

Às vezes a sincronicidade exige uma ação diferente. Você pode seguir o impulso de ir a um determinado lugar e, chegando lá, não acontecer nada de especial. Se estiver em um bar quase vazio, e a única fonte de informação for a televisão, não despreze o que se passa na tela. Preste atenção. A sincronicidade pode estar se manifestando. O mesmo se dá com outros meios de comunicação. De repente, cai diante dos seus olhos um livro ou revista onde, se você observar melhor, vai encontrar uma história ou uma notícia que contém exatamente a informação que estava procurando.

As mensagens sincrônicas costumam chegar de onde menos se espera. Você pode estar dirigindo e ver um anúncio de beira de estrada: "Já não é tempo de você tirar férias?" Em um dia qualquer, pode não ter nada a ver com você. Mas, se estiver tentando decidir se deve ou não marcar as suas férias, não será uma mensagem? E se você resolver agir, ligando para um agente de viagens, pode ser que ele tenha uma ótima oferta para ir ao lugar dos seus sonhos por um preço baixo, que só começou a valer momentos antes do seu telefonema.

Outras formas interessantes de mensagens sincrônicas são luzes que piscam no exato momento em que é dita alguma coisa importante, um rádio-relógio que liga na hora programada e toca uma música em cuja letra está o que alguém precisava ouvir, ou um amigo que telefona quando a gente mais precisa. Essas mensagens talvez sejam consideradas meras coincidências por alguém que não acredite que as contribuições para nossa vida podem vir de várias fontes. Mas, se acreditarmos nisso, esses estranhos acontecimentos passam a merecer o nosso tempo e a nossa atenção.

Minha amiga Savann fez uma descoberta fantástica no dia em que passou a prestar atenção em mensagens simples que as pessoas às vezes nem notam. Numa certa manhã, ela estava em casa digitando no computador quando o telefone tocou. Era sua filha contando que, na noite anterior, enquanto estava em uma festa, alguém tinha roubado de seu carro uma bolsa bem grande de couro preto, onde guardava a carteira, telefone celular, óculos e outros objetos, além de uma caderneta onde estavam anotados números que não constavam da lista telefônica e endereços de amigos e clientes.

Savann desligou o telefone e voltou ao computador. Revoltada e com raiva por causa da perda sofrida pela filha, começou a falar alto, descarregando a emoção: "Tudo bem, pode ficar com o dinheiro e os cartões de crédito, mas não vai ficar com o resto das coisas dela, principalmente a caderneta de endereços... Devolva tudo *agora!*" Assim que acabou de falar, a tela do computador ficou em branco.

As chaves do carro de Savann estavam em cima da mesa, bem em frente a ela. De repente, pegou as chaves e foi em direção ao carro dizendo com firmeza: "Me mostre onde está a bolsa."

Savann foi dirigindo como se o carro estivesse no piloto automático. Passou por uma placa onde leu "Siga em frente" e seguiu até ver outra placa – "Proibido dobrar à esquerda". Ela dobrou à direita. Mais adiante, nova placa – "Devagar". Então, dobrou uma esquina, foi descendo uma estrada longa e sinuosa e atravessou uma ponte. Lá, à beira da estrada, sobre a grama, estava a bolsa preta com tudo dentro, menos o dinheiro e os cartões de crédito.

Tal como Savann, quando obedecemos aos nossos impulsos mais fortes e acreditamos que estamos sendo dirigidos, coisas extraordinárias acontecem. A determinação de viver outras experiências desse tipo e o empenho em entender as mensagens que nos chegam fortalecem a nossa crença e nos estimulam a obedecer à força maior que guia nossas vidas em uma jornada milagrosa.

Meditação

A finalidade desta meditação é deixar você mais alerta para as situações de sincronicidade em sua vida, confiando nelas e atraindo muitas outras.

Fique imóvel por alguns momentos, sentindo-se bem confortável...

Contraia e distenda os músculos que estejam tensos para ajudar o corpo a relaxar...

Respire devagar quatro vezes sentindo o peito e o ventre enchendo e esvaziando...

Desapegue-se de suas preocupações...

Conte até dez bem devagar...

Espere mais alguns segundos para acalmar a mente e relaxar o corpo...

Agora que já relaxou, pense nas vezes em que teve uma intuição que se confirmou mais tarde...

Lembre de uma vez em que o telefone tocou e você já sabia quem era antes de atender...

Já aconteceu de você pensar em uma pessoa que não via há muito tempo e pouco depois essa pessoa telefonar ou vocês se encontrarem por acaso?...

Você já teve alguma intuição em relação à sua família? Talvez tenha sentido que ia acontecer alguma coisa especial que realmente aconteceu. Ou sentiu que um deles não estava bem ou tinha sofrido um acidente, e era verdade...

Você percebe a diferença entre os seus pensamentos intuitivos e os casuais?...

E você consegue lembrar-se de uma ou duas coincidências extraordinárias que tenham acontecido em sua vida?

Essas coincidências promoveram alguma mudança? Fizeram você conhecer pessoas que hoje em dia são importantes na sua vida? Contribuíram para que você encontrasse o lugar ideal que estava procurando?...

A sua intuição está ligada a situações de sincronicidade?...

O que você pensou quando essas situações aconteceram? Como se sentiu?... De que forma essas situações afetaram a sua vida?... Você começou a acreditar que existe alguma coisa que nos guia?...

Essas situações lhe inspiraram confiança?... Fizeram você desejar que elas ocorressem com mais freqüência?...

O que acha necessário acontecer para que você viva outras experiências de sincronicidade?

Para desenvolver a sua confiança e a sua prática em atrair sincronicidade vamos imaginar um dia comum e observar como você pode trazer mais coincidências para sua vida.

Imagine que é de manhã e você está acordando como faz todo dia, mas hoje sente uma grande expectativa de que alguma coisa misteriosa vai acontecer...

Para viver essa experiência misteriosa você precisa formular em sua mente uma pergunta especial para o dia. Talvez você esteja em busca da solução para um problema, talvez não saiba como terminar ou fortalecer um relacionamento, como pagar suas contas... Ou talvez esteja hesitando sobre que tipo de carro comprar ou se aceita ou não uma oferta de emprego. Pode ser qualquer pergunta a respeito do que está se passando atualmente na sua vida...

Que pergunta você faria?...

Imagine que já sabe qual é a pergunta enquanto segue a sua rotina diária e se prepara para sair...

Se for ler o jornal ou ouvir o rádio, continue com a pergunta em sua mente e preste atenção a qualquer informação que possa estar ligada a ela...

Ao sair de casa, repare nas pessoas que encontra...

A caminho do seu destino – seja o trabalho, a escola, o mercado –, repare nas placas e anúncios. Veja se trazem alguma mensagem que se aplique à sua pergunta...

Imagine que é hora do almoço e você vai a um determinado restaurante. Veja se, por coincidência, encontra algum conhecido ou escuta por acaso uma conversa que possa ajudá-lo...

Continue o seu dia, com a pergunta sempre presente e alerta para as várias ocasiões que possam trazer respostas...

Quando voltar para casa, procure distrair-se dando uma volta pelo seu quintal ou pelas vizinhanças. Pegue pequenos objetos ou pedaços de papel que tenham algum significado para você...

Chegando em casa, observe melhor as coisas que encontrou. Leia com cuidado, procurando alguma mensagem...

Pense sobre o que aconteceu durante o dia. Veja se a resposta à sua pergunta chegou de algum modo...

Agora pense nos próximos dias. Como poderia começar cada dia fazendo uma pergunta importante?...

Onde iria procurar as respostas?...

Passe mais alguns momentos pensando em suas perguntas. Preste atenção em qualquer pensamento intuitivo que venha à sua mente...

Quando achar que é hora, volte ao presente, ainda pensando na sua pergunta...

Comece a mexer o corpo devagar...

Faça algumas anotações...

E volte ao seu dia.

Nas próximas semanas, tendo sempre em mente a sua principal pergunta, receba todas as formas de informação que lhe chegarem, mesmo as que parecerem tolas. Procure significados ocultos nas placas de rua, em pedacinhos de papel, nas notícias de jornal. Tudo isso pode conter ou não pistas que o ajudem a descobrir as respostas que procura, mas se você não se abrir às misteriosas possibilidades da sincronicidade talvez perca alguma oportunidade importante.

CAPÍTULO SETE

Descobrindo a Sua Missão Espiritual

Quando estamos em sintonia com a sincronicidade em nossas vidas percebemos que misteriosas coincidências apontam para uma determinada direção: a da tarefa ou missão que temos a cumprir para ajudar a construir um mundo melhor. Acredito que todos nós nascemos com uma missão espiritual. Despertar para essa missão é ver a vida assumir um significado muito maior. Os psicólogos chamam a isso "auto-realização" ou realização do nosso potencial interno.

Viktor Frankl, em seu livro *Em Busca do Sentido,* expressa sua idéia de missão espiritual: "Cada um de nós tem uma missão ou vocação específica na vida, uma tarefa concreta que exige ser realizada. Por isso ninguém pode ser substituído nem viver a vida duas vezes. Assim, a tarefa de cada um é única, bem como a oportunidade que tem de cumprir essa tarefa."

Ari Kiev, M.D., em seu livro *A Strategy for Daily Living* (Uma estratégia para a vida diária), trata da importância da missão, afirmando: "Em trinta e cinco anos de prática psiquiátrica tenho repetidamente comprovado que ajudar as pessoas a desenvolverem suas visões pessoais é a maneira mais eficaz de capacitá-las a enfrentar seus problemas e alcançar o máximo de satisfação."

A vida sem objetivo espiritual é vazia. Muitas vezes, como já foi dito, buscamos satisfazer nossos verdadeiros anseios buscando outras coisas, como sucesso e bens materiais. Felizmente, a alma não desiste e continua a nos estimular a buscar um meio de reconhecer a missão que temos a cumprir no mundo.

Às vezes é uma crise pessoal que nos impulsiona para a descoberta da missão. A morte de um ente querido, uma doença, separação ou súbita mudança de carreira podem nos estimular a procurar alguma coisa mais sólida. É muito doloroso tomar contato com a extrema vulnerabilidade da vida, e isso gera muita insegurança. Em que podemos confiar? Quando não temos consciência do nosso objetivo maior, a situação é de desespero, desejo de morte. Isso é o que os poetas chamam de "noite escura da alma". É um tempo em que tudo parece desmoronar. Mas, assim como o período mais escuro da noite precede o amanhecer, a escuridão do medo da vida pode ser prenúncio da alegria pela descoberta da nossa missão espiritual. Em certo sentido, estamos apenas despertando e reestruturando a vida para que seja mais plena.

Assim como alcançar a conexão espiritual é um processo individual, a jornada até o reconhecimento da nossa missão também o é. Algumas pessoas já parecem nascer com uma consciência mais nítida do que pretendem na vida. Traçam um roteiro e trabalham continuamente pelo cumprimento de sua missão. Outras só vão se interessar por isso muito mais tarde. Passam boa parte da vida voltadas para o que ouvem dizer que é importante até que, um dia, começam a questionar-se, perguntando se há algo além.

A jornada em direção a um maior entendimento da nossa missão pode seguir vários caminhos. Alguns recorrem às mensagens espirituais de sua religião. Outros seguem suas ricas tradições culturais, como os povos nativos da América do Norte. E outros preferem os seminários de auto-ajuda e a orientação de profissionais.

Embora cada um escolha seu próprio caminho para lidar com sua missão espiritual, existem algumas semelhanças entre os métodos de busca. Em todos eles podemos escutar a sabedoria que trazemos dentro de nós e ouvir o que ela tem a dizer sobre o motivo de estarmos aqui. Este saber se manifesta através dos nossos interesses, das nossas visões e da atração instintiva que sentimos por determinadas áreas profissionais. É quando você se imagina realizando uma determinada atividade e se enche de entusiasmo, ou quando diz: "Fazer isso seria a realização de todos os meus sonhos."

Como vimos no segundo capítulo, às vezes pensamos que esse tipo de sonho só acontece na infância. Acreditamos que, já adultos, temos que aceitar o trabalho e as oportunidades que aparecem e não ir em busca do que desejamos. Isso, em geral, inibe a nossa capacidade de conexão com a nossa visão intuitiva mais profunda do que viemos fazer aqui. Pense nas pessoas que têm coragem de mudar de emprego, de carreira, de estilo de vida para perseguir seus sonhos. Nunca é tarde demais.

Explorando o Passado

Para enxergar com clareza a sua missão, também é preciso explorar profundamente seu passado. Quando temos consciência de que a vida é sagrada, podemos descobrir o significado espiritual que há por trás de tudo o que nos aconteceu. Pense nas circunstâncias do seu nascimento. Qual o significado de nascer em uma determinada família, em um determinado lugar do mundo, em uma determinada época?

Antes de você, ninguém viveu as mesmas experiências e teve a mesma visão do mundo. Sua singularidade começa por seus pais ou pelas primeiras pessoas que cuidavam de você. Que atitudes tinham diante da vida? O que você aprendeu com eles? Como viviam?

Tenha o cuidado de não prender-se a ressentimentos ligados a algum acontecimento da infância. Quase todos nós reconhecemos que nossos pais não erraram de propósito – estavam agindo da maneira que consideravam melhor. Mesmo que não concordemos com a orientação deles, e não querendo repetir os erros com os nossos filhos, sabemos que não há como mudar o passado. O melhor a fazer é aprender com as experiências e usar o nosso conhecimento para ajudar outras pessoas.

Pense nos aspectos mais positivos das pessoas com quem vivia quando era criança. Quais os aspectos ou habilidades delas que mais atraíam você? Havia uma ocupação comum a todos? Por exemplo, a família poderia estar ligada à cura – médicos, enfermeiras, terapeutas. Se você seguiu a carreira da família, poderia desenvolvê-la para que ela assumisse nova dimensão?

Muita gente descobre que foi influenciada por tipos de lazer e *hobbies* que via outros membros da família praticarem. Cozinhar, fotografar, viajar e pintar são alguns exemplos. Você utiliza atualmente esse tipo de interesse de algum modo especial?

Meus pais contribuíram para a minha paixão por escrever. Eles adoravam literatura inglesa e ambos davam aulas de inglês em universidades. Não consigo me lembrar de um só dia em que não estivessem lendo ou comentando um livro. E ter autores na família fez com que ser escritora fosse para mim uma opção natural.

Ao passar em revista o seu passado, lembre-se dos seus talentos e habilidades naturais. Pense em seus sonhos de criança em relação ao futuro. O que dizia que ia ser quando crescesse? Na infância e na adolescência, quais eram os professores de quem mais gostava? Qual foi a influência que eles tiveram sobre você? Em que matérias você se saía melhor?

Procure uma ligação entre o seu atual estilo de vida e as atividades que praticava quando criança. Quais foram os seus primeiros empregos? Como chegou aos outros empregos que teve depois?

A etapa final é olhar para a história da sua vida como um todo. Procure enxergar com a maior clareza possível o sentido de tudo que lhe aconteceu – desde os sonhos e mágoas da infância até os erros, frustrações, alegrias e sucessos da adolescência e da idade adulta. O que aprendeu com tudo isso? O que pode ensinar aos outros sobre o que é importante para ter uma vida mais plena e espiritual?

Essas reflexões vão revelar uma verdade simples que cabe a você revelar. E é aí que começa o sentido de missão. É seu ponto de partida para dar uma nova dimensão a suas atividades e objetivos atuais de modo que os seus atos expressem essa verdade.

Quero lhes contar a história de uma mulher que usou um trauma da infância para se tornar uma autoridade em dependência química e recuperação. Marsha nasceu no início dos anos 50, filha de pais alcoólatras. Passou a maior parte da infância cuidando dos pais e aprendendo a sobreviver em um ambiente extremamente instável.

Adolescente, Marsha foi trabalhar em uma lanchonete. Seu objetivo era economizar para pagar seus estudos na universidade. Como era boa ouvinte, os colegas de trabalho acabaram adotando-a como "conselheira oficial". Certa vez, um colega falou dos problemas que estava tendo com a namorada, dependente de álcool. Marsha entendeu o sofrimento do rapaz e se ofereceu para ir com ele visitar a garota em uma instituição local.

Ao chegar à instituição – que atendia a dependentes – ela teve a intuição de que poderia ajudar trabalhando lá como voluntária durante algumas horas por semana. Como tinha a intenção de estudar Psicologia, com uma segunda graduação em Sociologia, achou que a experiência poderia contribuir para seu futuro.

Depois de seis meses de trabalho voluntário, o diretor da instituição ofereceu emprego a Marsha. Ela aceitou o cargo e começou a se destacar. Um ano mais tarde, o diretor convidou-a para um seminário sobre dependência e recuperação, onde haveria participantes de todo o estado. Ele ia fazer uma palestra sobre como ajudar as famílias dos dependentes de álcool e achou que o testemunho de Marsha seria importante.

Ao terminar o seminário, Marsha foi procurada por várias pessoas que agradeceram pelo que tinham aprendido com seu depoimento. Uma mulher lhe falou sobre um programa de bolsas de estudo no campo da Psicologia com ênfase em dependência e recuperação, sugerindo que Marsha se candidatasse. Ela se candidatou e conseguiu. Seguiu todos os cursos que pretendia e chegou ao doutorado.

Mais tarde Marsha veio a ser diretora de uma clínica em uma cidade não muito distante daquela onde cresceu. Transformou a clínica em um centro de cura que oferecia apoio a pessoas em recuperação de dependência, não só de álcool como de outras drogas. Essa clínica foi uma das primeiras a oferecer aos pacientes novos tipos de terapia, além de convidar regularmente para palestras especialistas em motivação. Marsha escreveu ainda um manual explicando seu trabalho e estabeleceu um novo padrão de atendimento.

Fica claro como a experiência de vida de Marsha serviu de preparação para sua missão espiritual. Ela não concordava com o velho modelo de terapia para recuperação de dependentes e conhecia bem a dor de ser filha de pais alcoólatras. Sincronicamente guiada, chegou com o colega de trabalho à instituição onde tudo começou. Foi quando seu destino começou a se revelar.

A Sua Missão e o Mundo

Para expandir o seu sentido de missão, minha sugestão é, primeiro, anotar à mão o que você acredita que seja a sua missão. Registre de forma simples o que lhe vier à cabeça. De vez em quando, leia de novo, acrescentando novas idéias que lhe ocorrerem. Se quiser, vá trocando as palavras, mudando a disposição, até conseguir a melhor forma. O que você vê escrito com a sua própria letra fica mais real.

Para que fique mais claro, faça perguntas como: "Eu nasci para fazer o quê?" ou "Como posso usar a minha missão hoje para melhorar o mundo?". Depois dessas perguntas, muita gente fica surpresa em descobrir que sua missão é fazer os outros se sentirem melhor a respeito deles mesmos. São pessoas que têm sempre uma coisa engraçada para contar, ouvem com atenção, valorizam os melhores aspectos dos outros ou preparam com prazer uma comidinha especial para um vizinho doente.

Outros descobrem que sua missão é lutar pela igualdade entre as raças. Talvez tenham crescido em uma cultura que respeita a diversidade e queiram partilhar essa filosofia. Ou tenham visto ou sofrido tanto preconceito, que decidiram não permitir que isso continue. Outros ainda podem se engajar em algum esquema de proteção ambiental ou se empenhar em uma descoberta científica. Todas essas missões espirituais podem tomar milhares de formas, de acordo com o modo especial de cada um expressar sua visão especial.

Lawrence LeShan, em seu livro *Cancer as a Turning Point* (Câncer como ponto crucial), contribui para entendermos como cumprir a nossa missão. Em seu trabalho de apoio a pacientes em recuperação de câncer, LeShan atendeu a um homem chamado Harold. Um dia, pediu a Harold que definisse o que queria da vida. O homem disse que tinha sonhado a vida toda em ser médico, mas, aos sessenta e dois anos e escolaridade correspondente apenas ao ensino médio, não acreditava que fosse possível.

LeShan conhecia bem a ligação entre ter um objetivo de vida e cura. Por isso insistiu com Harold para que descrevesse o que representaria para ele ser médico. Harold falou de um consultório cheio de clientes que chegavam, recebiam tratamento e saíam se sentindo melhor.

Com base nessa descrição, os dois encontraram a ocupação perfeita para Harold. Ele passou a trabalhar em um balneário, prestando atendimento a turistas. Ficava em uma cabine onde diariamente havia um fluxo constante de pessoas pedindo informações. Quando necessário, fazia perguntas para esclarecer melhor o que o turista procurava. E ajudava na escolha do hotel, da melhor área de lazer, das atividades. Todos que consultavam Harold saíam satisfeitos e se sentindo melhor. Mesmo sem os muitos anos de estudo em uma faculdade de medicina, conseguiu ser útil de um modo que atendia as necessidades que descrevera quando havia falado de sua vida de médico.

A experiência de Harold nos deixa uma mensagem: quando uma porta se fecha, cortando o que parecia ser o caminho da nossa missão, podemos encontrar outros caminhos que levem ao mesmo objetivo. Não existem limites para a expressão da nossa missão espiritual. Não precisamos ser doutores, celebridades, nem grandes líderes para fazer do mundo um lugar melhor. Como disse Theodore Roosevelt, "Faça o que puder com o que tiver onde estiver".

Não se preocupe se a sua ocupação atual parece muito afastada da idéia que tem da sua missão. Na perspectiva espiritual, o trabalho que você faz hoje é, de algum modo, uma preparação. Pense em como poderia, mesmo na atual situação, realizar alguns aspectos da sua missão – assim como Harold fez. Talvez seja preciso redefinir as suas prioridades, mudar o sistema de valores em seu trabalho ou ampliar um pouco os limites do que seria o exercício normal da sua profissão. O simples fato de ser uma presença amorosa e atenta para as necessidades dos outros nos ambientes onde convive é uma forma de exercer a missão.

Procure também maneiras de incluir a sua missão nas horas de lazer. Talvez você ainda seja estudante, esteja sem emprego ou cuide apenas da casa. Em todas essas situações – e em muitas outras – a sincronicidade pode trazer situações e oportunidades em que se revele sua missão. Nas inúmeras opções de trabalho voluntário e nas responsabilidades para com a sua própria família existem muitas maneiras de tornar a sua comunidade melhor.

Desdobrando a Sua Missão

Lembre-se: a sua missão é o centro, o foco da sua vida. A vida não pode girar em torno de uma determinada ocupação. Muitas vezes nos prendemos a "Sou um professor" ou "Sou uma advogada". Identificar-se com a carreira pode se tornar um problema em um certo ponto da vida. O que acontece quando chega a hora da aposentadoria? Ou quando decidimos mudar de profissão? Quem somos, então?

Veja só o que aconteceu com um conhecido jogador de futebol da América do Sul. Ele ajudou seu time a conquistar muitos prêmios e campeonatos. Aos trinta anos, no auge da forma, acreditava que sua missão fosse representar a pátria e se destacar como o melhor jogador de sua equipe. Era rico, famoso e admirado por todos em seu país. Nada parecia deter sua constante ascensão na carreira.

Foi então que, durante uma final de campeonato, ele quebrou o pé. Apesar do êxito da cirurgia, nunca mais poderia jogar futebol profissionalmente.

Sem o futebol, ele se sentiu perdido. Não acreditava que existisse nada tão apaixonante. Sabia tudo da história e da prática do esporte, mas agora todo aquele conhecimento parecia inútil. Um ano mais tarde, porém, recebeu um convite para atuar como comentarista de televisão e começou a ser chamado para dar palestras. Foi o início de uma longa carreira. E ainda encontrou tempo para atuar voluntariamente como treinador em uma escolinha de futebol de sua cidade. Sua verdadeira missão era divulgar o esporte e passar adiante a experiência que adquiriu. Para ele, atuar como jogador foi apenas o primeiro estágio.

Essa história demonstra que o nosso conceito de missão é redefinido e revelado continuamente pela vida. As nossas primeiras tentativas sempre levam a formas mais eficientes e significativas de expressar a verdade.

O mais importante é, no final da vida, podermos olhar para trás e sentir orgulho pelo que realizamos. Como disse George Bernard Shaw: "Eis a verdadeira alegria da vida... estar a serviço de um propósito que você mesmo considera grandioso... ser uma força da natureza em vez de uma coisinha doentia e egoísta, só preocupada com seus achaques, reclamando que o mundo não se dedica." Em outra ocasião, Shaw completou essa idéia ao dizer: "Eu sou da opinião de que minha vida pertence à coletividade, e, já que faço parte dela, tenho o dever de contribuir da melhor maneira que puder... A vida, para mim, não é uma chaminha bruxuleante. É uma tocha esplêndida que por enquanto está em meu poder. Quero mantê-la acesa, brilhando o mais intensamente possível, até o momento de passá-la às gerações futuras."

Que lembrança você pretende deixar? Qual o seu legado para o mundo? Com tempo e persistência, à medida que sua missão for revelada, você reconhecerá a sua importância. Existem coisas que só você pode dizer e fazer. Você tem inúmeros dons que continuarão a se expressar até o fim dos seus dias na Terra. Cada vez que um dos seus dons se transformar em ação, você estará contribuindo para fazer do mundo um lugar melhor para todos nós.

Meditação

A finalidade desta meditação é ajudar você a entender a sua missão espiritual, ouvindo os seus sonhos e esperanças. É uma meditação estimulante, porque faz ver a vida com outros olhos e nos ajuda a progredir.

Minha sugestão é que você não tenha pressa de acabar e faça a meditação mais de uma vez. À medida que você meditar, sua consciência vai crescer um pouco mais e você vai descobrir novas coisas.

Como em todas as outras meditações, é importante procurar um local sossegado e confortável.

Comece mexendo-se devagar para ajudar o corpo a relaxar...

Respire profundamente algumas vezes e sinta-se relaxando...

Deixe de lado todas as suas preocupações por algum tempo...

Prepare-se por mais uns quinze segundos...

Agora venha comigo em uma viagem mental...

Imagine que hoje é um dia especial, um feriado, e você está na praia...

Olhe como o mar está calmo. Como a água é transparente...

Veja que bonito...

Sinta a areia...

Aspire o perfume do ar...

Ouça o barulho das gaivotas...

Sinta o calor do sol em seu corpo...

Agora imagine que você é uma criança feliz que adora brincar na praia...

Incorpore a essência da criança e comece a brincar na areia e na água...

Mexa na areia. Procure até encontrar algumas conchinhas. Guarde em seu balde de brinquedo...

Continue brincando. Aproveite. Divirta-se...

Sinta o amor e a proteção que rodeiam você nesse dia especial...

Quando se sentir em verdadeira comunhão com a alegria de ser criança, pense qual é o objetivo de vida de uma criança desta idade...

Escute a resposta...

Guarde a resposta que escutou e vamos avançar um pouco no tempo...

Imagine que você já chegou à adolescência. É forte, saudável...

Aproveite a praia como fazem os adolescentes...

Sinta os sonhos e as esperanças que vêm com essa idade...

Como adolescente, qual é o seu objetivo na vida?...

Apenas escute sem questionar a resposta...

Guardando as respostas em sua mente, avance mais no tempo até a idade que tem hoje...

Aproveite a praia, brinque na areia e na água alegremente, como já não faz há muitos anos...

Sinta-se livre...

Sorria, dê risadas...

Pergunte-se: qual é o meu objetivo espiritual hoje?...

Ouça as respostas com seriedade...

Pense em sua vida e identifique algum acontecimento que tenha levado ao seu atual objetivo espiritual...

Houve pessoas muito importantes em sua vida?...

Houve acontecimentos que fizeram você crescer espiritualmente muito mais do que poderia imaginar?...

Você desenvolveu algum trabalho voluntário que ajudou no seu crescimento?...

Como é que as experiências passadas contribuíram para o que você faz atualmente?...

Fique por alguns momentos pensando nos acontecimentos do passado e em como cada um deles foi uma preparação...

Agora vamos avançar no tempo...

Imagine que você envelheceu e adquiriu mais sabedoria...

Continue a sentir-se forte e saudável e aproveite a praia nessa idade...

Se, com essa idade, você fosse refletir sobre a sua vida, o que consideraria como uma das suas maiores contribuições para o mundo?...

De que mais você se orgulharia de ter realizado?...

Nessa idade, qual seria a sua missão espiritual?...

Escute todas as respostas com atenção...

Volte à sua idade atual...

Existe um modo de colocar em prática alguma das mensagens que recebeu em suas várias idades para enriquecer a sua atual missão espiritual?...

Agora, uma última pergunta. Existe, lá no fundo do seu coração, algum desejo que você não esteja expressando atualmente?...

Como poderia ser feita a ligação entre esse desejo e a sua missão?...

Pense por alguns momentos sobre tudo que descobriu nessa meditação. Pense em como os seus sonhos e esperanças de criança e adolescente influenciaram o que você quer partilhar com o mundo hoje...

Prepare-se para encerrar o seu feriado junto ao mar...

Quando achar que é hora, mexa o corpo devagar...

Respire profundamente algumas vezes...

E continue o seu dia.

Lembre-se: não importa a sua idade. Você tem a vida pela frente para se expressar. Use o seu tempo e os seus recursos para criar uma vida que faça bem a você e aos outros. É aí que você encontrará a sua maior alegria.

CAPÍTULO OITO

Fazendo da Alegria um Estilo de Vida

O objetivo deste livro é orientar você no sentido de fazer da alegria um estilo de vida. A alegria de viver tem que se tornar uma atitude perfeitamente integrada às nossas atividades diárias. Cada um dos aspectos desse modo de viver deve ser adotado e praticado plenamente.

Primeiro vem a intenção, a determinação. Temos que desejar ter alegria de viver e visualizar constantemente a vida na perspectiva da alegria. É preciso ter consciência de como a alegria vai mudar a nossa vida. É preciso imaginar que estamos virando a página e iniciando um novo capítulo na história da nossa vida. Por isso é tão importante, como vimos no primeiro capítulo, desapegar-se do sofrimento e das decepções do passado. Só assim superamos as lembranças dolorosas que nos prendem e conseguimos seguir em frente. Depois de identificar as experiências passadas que provocam ressentimento, ciúme, raiva ou dor, podemos perguntar: "O que é preciso fazer para me libertar dessa experiência?" Ou: "Como posso curar essa inquietação?"

A resposta está no perdão. Perdoar aos outros, perdoar a nós mesmos, perdoar a vida por tudo que nos aconteceu. Quando desejarmos profundamente perdoar, a sincronicidade nos conduzirá ao melhor caminho para nosso crescimento. O caminho pode ser a participação em um grupo de apoio, a ajuda de um terapeuta, a leitura de um livro de auto-ajuda ou a experiência de um amigo que passou pela mesma situação. Os meios não têm importância. É possível mudar a maneira de ver o passado e considerar cada aspecto da nossa história como uma preparação para o que virá a seguir.

Mas lembre-se: desapegar-se do passado e engajar-se no caminho da alegria não significa que não teremos mais que enfrentar desafios e problemas. Os obstáculos ainda irão aparecer. As pessoas que amamos podem adoecer e morrer, o dinheiro precisa ser administrado, seja qual for a nossa situação financeira, ou alguém pode nos dar uma rasteira quando menos esperarmos.

O importante é saber que depende da nossa escolha viver ou não uma vida de alegria. Somos nós que temos que aliviar a nossa bagagem emocional e administrar as nossas reações em qualquer acontecimento. Em vez de nos instalarmos na depressão causada por situações de sofrimento e deixar que elas reprimam o nosso amor pela vida, podemos usar a experiência para aprender, crescer e alimentar o nosso desejo de realizar com alegria todo o nosso potencial.

Invista na Construção da Alegria

Depois de fazer a opção pela alegria, é importante não

descuidar do trabalho de base. A intenção é apenas parte do projeto. Entender a nós mesmos é indispensável. Todo ser humano tem basicamente as mesmas necessidades fundamentais que precisam ser atendidas. Além das necessidades físicas, todos temos os mesmos desejos: sentir que fazemos parte de uma comunidade ou movimento maior, saber que não somos apenas competentes, mas especiais, e perceber que as nossas vidas têm importância. Consciente ou inconscientemente, destrutiva ou construtivamente, estamos sempre satisfazendo as nossas necessidades. Não esqueça de observar como você faz isso. Você fica esperando que os outros satisfaçam as suas necessidades? Ao confiar a outra pessoa essa tarefa, abrimos mão da alegria que a auto-estima nos traz. A alegria está sempre ligada à auto-realização.

O mesmo acontece com as nossas crenças acerca da vida. Essa crenças se baseiam nas nossas experiências individuais e determinam a visão que temos do mundo e as nossas reações aos acontecimentos. As nossas crenças podem criar um ambiente favorável aos nossos esforços em busca da realização e da construção de relacionamentos amorosos. Mas também podem nos inibir, principalmente se tivermos uma crença inconsciente que entre em choque com o que queremos da vida.

Tome profunda e detalhadamente consciência das suas crenças. Quando você examina atentamente as verdades fundamentais que dão forma à sua vida, consegue avaliar melhor se são corretas e merecem ser conservadas. Faça perguntas assim: "Como eu imagino que tem de ser um relacionamento para eu me sentir feliz?" ou "Como vou saber se alcancei sucesso?". Essa avaliação ajuda você a formar uma visão mais clara das mudanças que quer fazer na sua vida e a estabelecer objetivos que reflitam os desejos do seu coração. Como vimos no segundo capítulo, é muito mais fácil viver com alegria quando se tem uma visão mais clara do futuro. Sentimos um entusiasmo maior pela vida e ficamos mais atentos para perceber as oportunidades que surgem.

É importante pesar e definir bem os nossos objetivos. Se a alegria é a nossa prioridade, então os nossos objetivos não podem se resumir a bens materiais. Têm que incluir relacionamentos, saúde e espiritualidade. Quer comprar um carro novo? Veja primeiro o que isso significa financeiramente. Quer iniciar um novo empreendimento? Veja primeiro como isso vai afetar os seus relacionamentos e as suas horas de lazer. Quer um corpo esguio e saudável? Então planeje a sua alimentação e reserve tempo para se dedicar aos exercícios.

Às vezes o caminho que leva à realização dos seus objetivos pode se tornar um pouco acidentado. Prepare-se. Não desista. Fique firme, mantenha os olhos fixos no resultado e disponha-se a mudar de estratégia se for necessário.

Tome nota dos seus objetivos e leia regularmente o que escreveu. Isso alimenta a sua disposição, deixando seus objetivos sempre em evidência. O sonho fica mais real.

Quanto mais você pensa neles, maior a sua certeza de que podem ser alcançados.

Depois lembre-se de administrar o tempo e organizar o espaço. Não adianta você se desapegar do passado e se esforçar para chegar ao futuro feliz que tanto deseja – enquanto não organizar a sua vida, o progresso vai ser muito lento. Se você continuar correndo de um lado para outro, encaixando mais um compromisso na sua programação já apertada, com a casa entulhada de papéis, em completa desordem, você não vai encontrar tempo para a reflexão de que tanto precisa para estar alerta e no controle dos acontecimentos. Siga as etapas detalhadas no terceiro capítulo. Vai valer a pena o esforço.

Outro elemento importante na sua jornada a caminho da alegria é aprender a se comunicar bem com os outros. Depois de começar a agir para a realização dos seus objetivos e reorganizar tempo e espaço, entrar em uma discussão sem sentido é pura perda de tempo. É fundamental identificar os dramas de controle e agir de forma a não se deixar envolver. E lembrar-se sempre de que cada um tem suas próprias crenças sobre a vida e, por isso, nem sempre todos vão concordar conosco. Quando isso acontecer, não deixe que se transforme num desentendimento. Externe sua verdade e ouça a do outro, procurando entender os motivos que o levaram àquele ponto de vista. Assim a comunicação fluirá entre vocês e os enriquecerá.

Convivendo com o Mistério

Como vimos no quinto capítulo, para manter uma atitude de alegria diante da vida talvez o mais importante seja aprender a cultivar a conexão com o sagrado e acalmar a mente. Mais uma vez a intenção é necessária. Precisamos bater na porta e alcançar o milagre que existe por trás da nossa existência comum. Visite locais sagrados, pratique ioga, tai-chi. Entre para uma escola de dança, busque a emoção do esporte. Reze e procure conhecer melhor a sua doutrina religiosa. A conexão com o sagrado deve ser uma experiência concreta e não apenas uma boa idéia.

O mesmo se aplica em relação à mente. Quando sentir que a sobrecarga de trabalho e as preocupações tomam conta da sua mente, procure maneiras de se distrair. Preste atenção no efeito de certos alimentos sobre o seu estado emocional. Passe para o papel os seus pensamentos perturbadores. E converse calmamente com você mesmo, dando-se apoio, como faria com uma pessoa muito querida. Acredite que é possível ter a mente tranqüila e fazer desse estado parte integrante da sua realidade.

Tudo isso é necessário para nos despertar para a verdade de que somos parte de um plano maior na vida. Quando alcançamos essa consciência, vão começar a acontecer em nossas vidas situações que carregam um mistério mais profundo. E você se surpreenderá ao ver que as informações chegarão no momento exato em que eram indispensáveis à realização de mais uma etapa em direção aos seus objetivos. Cultive esse senso de expectativa.

Comece cada dia com uma pergunta sobre um determinado assunto e depois pense: "Que mistérios vão acontecer hoje para me mostrar as respostas de que preciso?" Preste muita atenção nos seus impulsos e intuições, porque eles vão levar você exatamente ao lugar onde ocorrerão acontecimentos de sincronicidade. Com o tempo, esses acontecimentos milagrosos vão fortalecer cada vez mais a sua certeza de que alguma força superior guia a sua vida.

A Sua Vida É Importante

Você é parte de um plano maior. Se prestar atenção, vai perceber que há algo guiando você em uma determinada direção. Cada um de nós tem uma vocação, uma verdade a dizer, que fica cada vez mais clara à medida que vivemos. Dedique o tempo que for preciso para relembrar a sua história pessoal. Procure as pistas e os significados que estão por trás de tudo o que lhe aconteceu. Junte essas informações ao seu intenso desejo para ajudar a fazer do mundo um lugar melhor.

Lembre-se de que toda verdade é importante, por mais insignificante que pareça. Aliás, as pequenas verdades, quando aceitas com convicção e partilhadas com todos os que cruzam o nosso caminho, promovem mais transformações do que os grandes projetos. Quando você usa o seu tempo para ajudar alguém e se comunicar honesta e autenticamente, o efeito é incalculável. Vai sendo passado adiante e se multiplica, influenciando o mundo com uma força que não conseguimos nem imaginar.

Para alcançar uma alegria constante e genuína temos que nos dedicar integralmente a empreender uma jornada consciente através da vida. Essa jornada alcança os outros e transforma este nosso mundo em um lugar melhor e mais espiritualizado. Lembre-se: quando chegar ao fim da vida, você vai querer olhar para trás e ter a certeza de que viveu com consciência e propósito. Se você fizer da alegria uma prioridade, vai viver experiências tão intensas e alcançar uma satisfação tão plena como jamais poderia imaginar.

Sugestões de Leitura

Capítulo Um

A New Guide to Rational Living. Albert Ellis and Robert A. Harper. Wilshire Books Company, 1975.

A Woman's Worth. Marianne Williamson. Random House, 1993.

Change Your Life and Everyone in It. Michele Weiner-Davis. Fireside Books, 1996.

Desperte o Gigante Interior. Anthony Robbins. Editora Record.

Living Without Procrastination: How to Stop Postponing Your Life. Susan M. Roberts, Ph.D. New Harbinger Publications, 1995.

Spontaneous Optimism. Michael Mercer e Maryann Troiani. Castlegate Publishers, 1998.

The Pursuit of Happiness. David G. Meyers. Avon Books, 1993.

Poetic Medicine: The Healing Art of Poem Making. John Fox. Putnam, 1997.

Capítulo Dois

Guia para o Sucesso Diário. Ari Kiev. Editora Nobel.

Os Sete Hábitos das Pessoas Altamente Eficazes. Stephen Cover. Editora Best Seller.

Poder sem Limites. Anthony Robbins. Editora Best Seller.

Capítulo Três

Feng Shui. Sarah Rossbach. Editora Ediouro.

Feng Shui: Decoração de Interiores. Sarah Rossbach. Editora Ediouro.

The Chinese Art of Designing a Harmonious Environment. Derek Walters. Simon & Schuster, 1989.

First Things First. Stephen R. Covey. Fireside Books, 1995.

Organizing from the Inside Out. Julie Morgenstern. Owl Books, 1998.

Taming the Paper Tiger at Home. Barbara Hemphill. Kiplinger, 1998.

Taming the Paper Tiger at Work. Barbara Hemphill. Kiplinger, 1998.

Working Mothers 101. Katherine Wyse Goldman. Harper-Perennial, 1998.

The Western Guide to Feng Shui: Creating Balance, Harmony, and Prosperity in Your Environment. Terah Kathryn Collins. Hay House, 1996.

Capítulo Quatro

A Profecia Celestina. James Redfield. Editora Objetiva.

A Visão Celestina. James Redfield. Editora Objetiva.

Divorce Busting. Michele Weiner-Davis. Fireside Books, 1993.

Don't Shoot the Dog. Karen Pryor. Bantam Books, 1984.

Homens São de Marte, Mulheres São de Vênus. John Gray. Editora Rocco.

Capítulo Cinco

Chop Wood, Carry Water: A Guide to Finding Spiritual Fulfillment in Everyday Life. Rick Fields. Jeremy Tarcher, 1984.
Good News for Bad Days: Living a Soulful Life. Father Paul Keenan. Warner Books, 1998.
"Beyond Golf: How to Transform Your Game and Your Life". In *Finding Inner Peace.* Larry Miller. Stillpoint Publishing, 1996.
New Low Blood Sugar and You. Carlton Fredericks, Ph.D. Perigee Books, 1985.
O Caminho do Guerreiro Pacífico. Dan Millman. Editora Pensamento.
Rezar É um Santo Remédio. Larry Dossey. Editora Cultrix.
Saved by the Light: The True Story of a Man Who Died Twice and the Profound Revelations He Received. Dannion Brinkley. Harper, 1995.
Sick and Tired? Reclaim Your Inner Terrain. Robert Young, Ph.D., D. Sc. Woodbridge, 1999.
Paz a Cada Passo. Thich Nhat Hanh. Editora Rocco.

Capítulo Seis

Intuition Workout. Nancy Rosanoff. Aslan Publishing, 1988.
Manual de Intuição Prática. Laura Day. Editora Rosa dos Tempos.
Pequenos Milagres. Yitta Halberstam e Judith Leventhal. Editora Sextante.
The Secret Language of Signals. Denise Linn. Ballantine Books, 1996.

Capítulo Sete

Em Busca do Sentido. Viktor Frankl. Editora Vozes.

A Décima Celestina, James Redfield. Editora Objetiva.

A Strategy for Daily Living. Ari Kiev. Free Press, 1997.

O Câncer Como Ponto de Mutação. Lawrence LeShan, Ph.D. Editora Sumus.

The Purpose of Your Life. Carol Adrienne. Eagle Brook, 1998.

The Power of Purpose: Creating Meaning in Your Life and Work. Richard J. Leider. Berrett-Koehler Publishers, 1997.

Voices from the Heart: In Celebration of America's Volunteers. Brian O'Connell. Chronicle Books, 1999.

De Iyanla Vanzant:

Um Dia Minha Alma se Abriu por Inteiro

Este livro é um precioso companheiro na jornada que empreendemos em busca da felicidade. A autora nos guia durante quarenta dias e quarenta noites para tratar de nossa relação com o Divino, com os outros, com nossos sentimentos e processos.

Ela nos fala da Verdade, da Confiança, da Escolha, dos Limites, do Perdão, da Raiva, do Medo, da Culpa, da Alegria e do Amor, totalizando quarenta valores e sentimentos que fazem parte essencial da vida. E fala como uma amiga inteligente e disposta a compartilhar generosamente suas histórias e reflexões.

Enquanto o Amor não Vem

"Haverá um momento em sua vida que o amor chegará. Antes disso, você terá tentado tudo o que podia, sofrido o quanto podia e desistido muitas vezes. Mas com a mesma certeza com que você está lendo este texto, lhe garanto que esse dia virá. Nesse meio tempo, este livro lhe contará histórias e ensinará algumas coisas que você pode fazer para se preparar para o dia mais feliz de sua vida: o dia em que experimentar o amor verdadeiro."

Reconhecida como "o maior fenômeno editorial de 1998", com mais de 4 milhões de livros vendidos nos EUA, Iyanla Vanzant se dedica a mostrar como podemos transformar nossas vidas e crescer espiritualmente. "Meu maior objetivo é que as pessoas conheçam a si próprias e usem este conhecimento como um meio de cultivar o amor e a afirmação de seus desejos na condução de suas vidas."

De Louise Hay:

Meditações para a Saúde do Corpo e da Mente

"O corpo é um espelho de nossas crenças e pensamentos mais íntimos. Está sempre conversando conosco. Foi para aprender a escutar o que ele tem a dizer e a incorporar as suas lições para o seu bem-estar que criei estas meditações.

Se você deseja investir na sua saúde, as meditações irão ajudar a tornar sua vida e seu corpo íntegros. Eu sei que você tem, dentro de si, tudo de que precisa para conseguir isso.

Quando começar a compreender o processo que leva à saúde ou à doença, será capaz de assumir o controle consciente das mudanças que deseja. Este é um processo muito emocionante que vai se tornar uma das aventuras mais felizes da sua vida."

Inclui um CD com exercícios de meditação.

Para maiores informações sobre as palestras de Salle Merrill Redfield e James Redfield no Brasil entre em contato, dando seu nome, endereço completo e telefone, com:

Editora Sextante

Av. Nilo Peçanha, 155 Gr. 301 - Centro

20020-100 - Rio de Janeiro - RJ

Tel.: (21) 524-6760 - Fax: (21) 524-6755

Central de Atendimento: 0800 22 6306

E-mail: salvend@openlink.com.br